Farbbildreise Sauerland
Pictorial Tour through the Sauerland
A la découverte du Sauerland

Arnsberg	5, 6
Arnsberg-Oelinghausen, Kloster	7
Arnsberg-Herdringen, Schloß	8
Arnsberg-Vosswinkel, Schloß Höllinghofen	9
Möhnetalsperre	10
Möhnelandschaft bei Warstein-Allagen	11
Warstein-Belecke, Möhne	12
Warstein-Belecke, Stütings-Mühle	13
Warstein, Brauerei	14
Rüthen-Kallenhardterheide	15
Kallenhardt, Blick auf „Kahle Höhe"	16
Hennesee	17
Meschede-Laer	18
Meschede-Freienohl	19
Brilon	20
Marsberg-Obermarsberg	21
Diemelsee	22
Willingen	23
Olsberg-Bruchhausen	24
Olsberg-Assinghausen	25
Olsberg-Elpe	26
Die Ruhr bei Winterberg	27
Winterberg-Niedersfeld, „Hoher Hagen"	28
Winterberg	29
Medebach-Deifeld	30
Hallenberg	31
Kahler Asten	32
Neuastenberg	33
Schmallenberg-Grafschaft	34
Schmallenberg-Lenne	35
Schmallenberg	36
Schmallenberg-Fleckenberg	37
Traditionelles Handwerk im Sauerland	38, 39
Eslohe	40
Eslohe-Obersalwey	41
Sorpetalsperre	42
Balve-Wocklum, Luisenhütte	43
Balve	44
Hönnetal, Burg Klusenstein	45
Balve-Volkringhausen	46
Menden	47
Felsenmeer bei Hemer	48
Iserlohn-Letmathe, Dechenhöhle	49
Altena	50
Burg, Altena	51
Werdohl	52
Neuenrade-Affeln, St. Lambertus	53
Meinerzhagen	54
Listertalsperre	55
Plettenberg	56
Finnentrop-Schliprüthen	57
Attendorn, Burg Schnellenberg	58
Drolshagen, St. Clemens Dom	59
Kirchveischede	60
Bilstein, Burg	61
Hohe Bracht	62
Lenne bei Saalhausen	63
Kirchhundem, Pfarr-Fachwerkhaus	64
Oberhundem	65
Bigge-Stausee	66
Olpe	67
Lüdenscheid	68
Hengsteysee bei Hagen	69
Hagen	70
Hagen, Freilichtmuseum tech.Kulturdenkmale	71
Ennepetalsperre	72

Farbbild-Reise
Sauerland

Text: **Ferdy Fischer**
Fotografie: **Holger Klaes**

SAUERLAND – „Land der tausend Berge"

Hinein ins „Land der tausend Berge", der in Nordrhein–Westfalen zentral gelegenen Mittelgebirgslandschaft SAUERLAND, obwohl es – im Vertrauen gesagt – ganz genau 2 711 Berge über 400 Meter N.N. sind, denn alles unter vierhundert Metern zählt vor allem für die Hochsauerländer nicht! Eine deutsche Mittelgebirgslandschaft, die sich mit dem großen Reichtum ihrer natürlichen Schönheit all' jenen empfiehlt, die nach Ruhe und Erholung suchen.
Und so besuchen, bereisen und durchwandern Tausende von Gästen aus Nordrhein-Westfalen, Hessen, den Niederlanden, aus Belgien und Dänemark das Sauerland. Dennoch macht es immer noch Schwierigkeiten, die rechte Orientierung für dieses schöne Stück Heimat zu geben. Die einen sagen, es läge „so rechts von Dortmund"; die anderen suchen es nördlich von Frankfurt. Hier soll die Lage aber nun erklärt sein: Das Sauerland liegt etwa bei dem 8. Breiten– und dem 51. Längengrad. Hier liegt auch die höchste Stadt Nordrhein-Westfalens, Winterberg mit dem bekanntesten Berg des Landes, dem „Kahlen Asten" (841 m). Der „Langenberg", der höchste Berg des Landes mit 843 Metern, schiebt seine flache Kuppe an der östlichen Landesgrenze nach Hessen hin zum Himmel. Hier im Sauerland entspringen Ruhr und Lenne und noch viele andere Flüßchen, die nach Nord oder Süd enteilen. Hier liegt auch eines der größten zusammenhängenden Waldgebiete der Bundesrepublik mit allein fünf Naturparks: Rothaargebirge, Arnsberger Wald, Homert, Ebbegebirge und Diemelsee. Landschaftlich breitet sich das Sauerland zwischen dem Hellweg und über das Rothaar-

SAUERLAND – "Land of a Thousand Mountains"

Come on a trip to the SAUERLAND, to the mountain scenery in the heart of North Rhine-Westphalia. Called the "Land of a Thousand Mountains", it has, in fact, precisely 2 711 hills and mountains over 400 metres above sea level. The Upper Sauerlanders in particular make a point of not counting any hill of less than 400 metres in height. This upland scenery is rich in natural beauty and is ideal for all those in search of rest and relaxation.
And it is for this reason that thousands of visitors from North Rhine-Westphalia, Hesse, the Netherlands, Belgium and Denmark come each year to tour the Sauerland, by bus, by car or on foot. However, there are still some difficulties in pinpointing the exact location of this beautiful corner of Germany. Some say that it lies "somewhere to the right of Dortmund", while others think that it is to be found to the north of Frankfurt. To be precise, the Sauerland is located at approximately 8 degrees of latitude and 51 degrees of longitude. In the Sauerland is to be found the highest town in North Rhine-Westphalia, namely, Winterberg, as well as the most famous mountain in the region, the "Kahler Asten" (841 m). The "Langenberg", the highest mountain at 843 metres, pushes its flat rounded summit skywards at the region's eastern border to Hesse.
The rivers Ruhr and Lenne rise here in the Sauerland, as do many other smaller rivers, all tumbling down the mountains towards the north or the south. It is here, too, that one of the largest areas of forest in Germany is to be found, with no less than five national parks; the Rothaargebirge, Arnsberger Wald, Homert, the Ebbegebirge and Die-

SAUERLAND – «Le pays des mille montagnes»

Partons à la découverte du «pays des mille montagnes», le SAUERLAND au cœur de la Rhénanie du Nord-Westphalie. En fait, il a exactement 2 711 sommets de plus de 400 mètres de hauteur; tout ce qui est en dessous de quatre cents mètres ne compte pas pour les habitants du Sauerland! Cette région de montagnes moyennes, riche en beautés naturelles, est idéale pour ceux qui recherchent la paix et le repos.
Des milliers de touristes de Rhénanie du Nord-Westphalie, de Hesse, des Pays-Bas, de Belgique et du Danemark viennent chaque année au Sauerland. Ce n'est pas très simple de situer cette jolie contrée; selon les uns, elle se trouve à la droite de Dortmund, les autres la placent au Nord de Francfort. Pour être exact, le Sauerland s'étend sur le huitième parallèle et au 51e degré de longitude. C'est ici que se trouve également Winterberg, la plus haute ville de la Rhénanie du Nord-Westphalie, avec le «Kahlen Asten (841 m.), la montagne la plus connue de la région. Le «Langenberg», sa plus haute montagne (843 m.), élève son sommet arrondi à la frontière orientale du territoire, vers la Hesse.
La Ruhr, la Lenne et de nombreuses petites rivières prennent leurs sources dans le Sauerland. Il renferme également une des plus grandes régions boisées d'un seul tenant d'Allemagne avec cinq parcs naturels: Rothaargebirge, Arnsberger Wald, Homert, Ebbegebirge et Diemelsee.
Géographiquement, le Sauerland s'étale entre le Hellweg jusqu'au delà du Rothaargebirge et de Hagen, l'unique ville importante de la région, jusque derrière Hallenberg. Deux Länder et deux régions touristiques se partagent le parc national du

gebirge hinweg aus, von der einzigen Großstadt des Sauerlandes, Hagen, bis hin nach Hallenberg. Zwei Bundesländer und auch zwei Ferienregionen teilen sich eine kleine Idylle, den östlichen Naturpark Diemelsee: Hessen und Nordrhein-Westfalen, Waldeck-Ederbergland und das Sauerland.

Dieses Sauerland hat einen unermeßlichen Naturreichtum anzubieten. Etwa die Wanderparadiese der Berge und Wälder, der Täler und Tropfsteinhöhlen, zwei Dutzend Stauseen für Brauch- und Trinkwasser mit einer kompletten Flotte weißer Schiffe auf den klaren blauen Fluten der Möhne- oder Biggetalsperre, des Henne- oder Sorpesees. Daneben , viele kleine, stille Seen und Waldteiche. Dann die Wildgehege und Freizeitparks, Aussichtstürme, Grillplätze, Kohlenmeiler in den Wäldern und Freilichtbühnen in Hagen, Hallenberg, Herdringen und Elspe, ein Netz von über 12 000 Kilometern Wanderwegen.

Bisher oft übersehen: 100 Burgen und Schlösser zwischen den 1000 Bergen! Aber auch sakrale Kunst, Museen, Ateliers und Galerien. Jeder Kunstfreund kommt im Sauerland auf seine Kosten.

Den Namen des Landes sollte man nicht allzu wörtlich nehmen, denn „ s a u e r" ist hier kein Mensch! Viele eifrige Forscher haben nachgedacht: es ist ebenso wahrscheinlich, daß Sauerland „nasses Land" heißt, wie in dem luxemburgischen Fluß Sauer oder in der Saar oder in dem irischen Fluß Sui, sauer als Gegenteil von trocken. Die Sauerländerin und Schriftstellerin Maria Kahle argumentiert: „Verschiedene Forscher leiten den Namen vom keltischen ‚Siur'-Land gleich ‚Quell-Land' ab." Einleuchtender sind die Erklärungen geographischer Natur. Im gebirgigen Dreieck des Südens von Westfalen liegt das Sauerland, also gleich ‚Süderland'. Gleich welche Deutung, am besten man hält es mit dem Dichter des Sauerlandes, Friedrich Wilhelm Grimme: „Wir sagen und schreiben fortan, wie immer, Sauerland."

Über die Menschen hier aber hat keine geringere als Annette von Droste-Hülshoff so geurteilt: „Der Sauerländer ist ungemein groß und wohlgebaut. Seine Züge sind alle angenehm, und bei vorherrschend lichtbraunem oder blondem Haare haben doch seine langbewimperten blauen Augen alle den Glanz und den dunklen Blick der schwarzen. Er ist ein rastloser und zumeist glücklicher Spekulant. Übrigens besitzt der Sauerländer manche anziehende Seite: er ist mutig, besonnen, von scharfem, aber kühlem Verstande!"

Durch die kargen Bodenverhältnisse auf den Hochflächen und Höhen des Sauerlandes wandten sich bereits in früheren Zeiten die Hochsauerländer dem Handel zu. Mit ihrer Kiepe durchstreiften sie die Welt nach allen Himmelsrichtungen. Sie handelten mit Eisenwaren, vor allem mit Messern, Sensen und Nägeln, zogen bis in die Pußta, ja in's tiefe Rußland oder in das nördlichste Baltikum. Dabei sprachen diese Handelsleute in ihren grünen Kitteln auf den Wegen und in den Kneipen, wann im-

melsee. Scenically the Sauerland stretches from the old Hellweg road right across the Rothaargebirge mountains, from the only large town in the Sauerland, Hagen, as far as Hallenberg. Two federal states, Hesse and North Rhine-Westphalia, and also two holiday regions, Waldeck-Ederbergland and the Sauerland, share a small, idyllic national park area to the east, the Diemelsee.

The Sauerland is an area which has a wealth of natural resources, such as the hills and mountains, forests and valleys which are a hiker's paradise, the caves with their stalactites, a score of reservoirs along with an entire fleet of white boats on the clear blue waters of the Möhne or Bigge dams, and on the Hennesee or Sorpesee reservoirs. Add to this the numerous still lakes and quiet forest ponds, the leisure parks, wild life parks, observation towers, barbecue areas, the charcoal kilns in the forests and open-air theatres in Hagen, Hallenberg, Herdringen and Elspe. Plus 12 000 kilometres of clearly marked footpaths.

Not to be forgotten are the 100 castles and fortresses to be found dotted among the 1000 mountains! Art lovers will enjoy themselves in the Sauerland with its wealth of religious art, museums, studios and galleries.

Many keen researchers have given some thought to the name of the region and have come to the conclusion that it is likely that the "Sauerland" means "wet land", "sauer" being the opposite to dry, as in of the river Sauer in Luxembourg, or the Saar, or the Irish river Sui. The writer Maria Kahle, who is from the Sauerland, argues that "various researchers are of the opinion that the name is derived from the Celtic "Siur" Land which is equivalent in meaning to "source land". The explanations of a geographical nature are, however, more plausible. The Sauerland lies in the mountainous triangle in the south of Westphalia, so "Sauerland" is equivalent to "Süderland" or "Southern Land". Irrespective of which meaning is the right one, it is best to agree with the Sauerland poet and writer Friedrich Wilhelm Grimme, who states: "We say, and henceforth will write, as we always have done, Sauerland."

No less a person than the 19th century writer Annette von Droste-Hülshoff expressed the following opinion about the people of this area: "The Sauerlander is exceedingly tall and well-built. He has very pleasant features and, although he has predominantly light-brown or fair hair, his blue eyes with their long lashes have all the splendour and inner glow of dark eyes. He is a tireless and, for the most part, successful speculator. Moreover, the Sauerlander has many attractive sides to his nature: he is courageous, level-headed and combines a keen mind with a cool head."

Due to the poor soil conditions on the high plateaux and hill tops of the Sauerland, the inhabitants of the Upper Sauerland turned at an early stage to trading. They traded in iron goods, mainly knives,

lac de Diemel (Diemelsee), un véritable joyau naturel: la Hesse et la Rhénanie-du Nord-Westphalie, le Waldeck-Ederbergland et le Sauerland.

La nature du Sauerland offre une foule de richesses: des massifs, forêts et vallées, paradis pour les randonneurs qui trouveront un réseau de 12 000 kilomètres de sentiers balisés, des grottes de stalactites et stalagmites, deux douzaines de lacs artificiels avec une flotte de bateaux blancs sur les eaux bleues des barrages de Möhne et de Bigge ainsi qu'aux lacs de Henne et de Sorpe. En outre, les visiteurs découvriront d'innombrables petits lacs et étangs cachés dans les forêts, des réserves d'animaux sauvages et des parcs de loisirs, des tours panoramiques, des meules de charbonniers dans les bois et des théâtres en plein air à Hagen, Hallenberg, Herdringen et Freudenberg.

100 forteresses et châteaux parsèment le pays des 1000 montagnes. Mais les amateurs d'art et de culture trouveront également leur bonheur dans ses nombreux musées, ateliers, galeries et églises.

«Sauer» veut dire aigre. Cependant, il ne faut surtout pas prendre le nom de la région au pied de la lettre! Sauerland signifie sans doute «pays arrosé» et partage l'origine de son nom avec la rivière luxembourgeoise Sauer, la Sarre ou la rivière irlandaise Sui, dont les noms sont tirés du mot «sauer» qui, dans ce cas, signifie le contraire de sec. Maria Kahle, écrivain du terroir argumente: «plusieurs linguistes font dériver le nom du pays du mot celte «siur» signifiant pays des sources. L'explication reposant sur la géographie est plus claire: le Sauerland ou «Süderland» est appelé ainsi parce qu'il s'étend au Sud de la Westphalie. Quoi qu'il en soit, Friedrich Wilhelm Grimme, poète du Sauerland, a trouvé une solution au problème: «Comme toujours, nous continuerons de dire et d'écrire, Sauerland».

D'ailleurs, il y a longtemps que les habitants du Sauerland ne se creusent plus la tête sur les racines du nom de leur pays. Annette von Droste-Hülshoff, la grande poètesse allemande, les décrit ainsi: «Le Sauerlandais est très grand et bien bâti. Ses traits sont agréables, il a les cheveux châtain ou blonds et des yeux bleus ombrés de longs cils, qui pourtant ont l'éclat et le regard sombre des yeux foncés. Il est un spéculateur infatigable et souvent chanceux. Il possède aussi des côtés attrayants: il est courageux, réfléchi, fin d'esprit, mais sait aussi garder la tête froide!»

Vivant sur des sols pauvres, les habitants du Haut-Sauerland s'adonnèrent très tôt au commerce. La hotte sur le dos, ils partirent de par le monde, faisant le commerce de ferblanterie, vendant notamment des couteaux, outils agricoles et aiguilles; ils allèrent jusqu'à la Pussta, au plus profond de la Russie et jusque dans le Nord de la Baltique. Quand ces marchands, vêtus de la blouse verte traditionnelle, se retrouvaient sur les chemins ou dans les auberges, ils parlaient leur propre langue, leur patois bien à eux.

mer sie sich trafen, ihre eigene Sprache: da wurde „Schlausmen gedibbert".

Die Lebensart der Sauerländer brachte und bringt eine Menge an Originalen hervor, die sich von der heitersten Seite zeigen. Peter Kuhlmann zum Beispiel, der Drehorgel spielende Gastronom aus dem Lennetal, unterhält seine Gäste auf diese Weise. Da gibt's in den Gaststuben zünftige Stammtische, so wie den der „Saupacker" in Allendorf: Jäger, die nur auf Sauen gehen und frisches Pils und klaren Korn zu schätzen wissen. Und solches wissen die Sauerländer zu brauen und zu brennen: sie sind die Spezialisten für das Brauen von Bier, vor allem von Pils. Warsteiner, Veltins, Krombacher haben inzwischen den klassischen zünftige deutschen Brauregionen den Rang streitig gemacht! In diesen Reigen gehören noch die kleinen gemütlichen Gasthof-Brauereien in Eslohe, Meggen und Willingen, wo man noch erleben kann, wie das Bier „von Hand gemacht" wird und ein leckeres naturtrübes Pils am Sudkessel kosten kann.

Bei solchermaßen lebensfrohen Runden werden dann viele Anekdötchen und Schnurren erzählt. Geschichtchen und Histörchen in Hochdeutsch oder in plattdeutscher Mundart, von heimischen Literaten, die über das Sauerland, über die Landschaft und die Menschen geschrieben haben.

Maler, Bildhauer, Grafiker, Töpfer und Kunsthandwerker arbeiten überall im Sauerland in ihren Ateliers. So malt hoch über dem Ruhrtal Udo Wollmeiner in Oeventrop seine „Menschelkinder" in leuchtenden Farben auf alten Mooreichentafeln. Seine barocke Lebensfreude dringt bei solchem Tun aus der Abgeschiedenheit der Wälder in die Welt hinaus. Ebenso sind bei Josef Bergenthal in Fredeburg, Pit Moog in Alme, Johannes Dröge in Sundern, Theo Sprenger in Brilon-Madfeld, Hinrich Graunhorst im Rothaargebirge oder Josef Klute im Sorpetal bei Rehsiepen oder Heinrich Schneider im großen Gutshof von Heiminghausen die satten grünen Wiesen und die rauschen Wälder die guten stillen Nachbarn der Kunstwerkstätten. Daß vor rund 100 Jahren August Macke in Meschede, Peter Paul Rubens vor über 400 Jahren in Siegen und andere Größen im Sauerland geboren wurden, weiß inzwischen jeder Kunstfreund.

Bei soviel Berühmtheiten muß auch der weithin bekannte Koch auf dem zweithöchsten Berg des Sauerlandes genannt werden: Gerd Deimel im Turm-Restaurant des Kahlen Astens bei Winterberg. Er kocht nicht nur vorzüglich, sondern zaubert mit Meißeln aus tiefgefrorenen Eisblöcken die schönsten eisigen Glitzer-Skulpturen.

Neben diesem Turm findet der Wanderfreund „nach einer mäßigen Anstrengung, mit einem schönen Ausblick und einer gemütlichen Einkehr" – getreu dem Spruch des Sauerländischen Gebirgsvereins – noch Dutzende anderer Aussichtstürme: Vincke- und Bismarck-Türme, Beton- und schönere Holztürme, alte Wassertürme und ehemalige Signaltürme von der Signalstrecke Koblenz - Berlin.

scythes and nails, and even reached as far as the Puszta in Hungary, deep into Russia and the Baltic regions. Whenever they came across their fellow countrymen on the highways and byways or in the taverns, these traders, in their characteristic green smocks, would converse in their own Sauerland dialect.

The way of life in the Sauerland has produced and continues to produce a string of real "characters". Peter Kuhlmann, for example, the barrel-organ playing restaurateur from the Lenne valley, who provides musical entertainment for his customers. And in the village pubs, too, where groups of locals meet regularly for a drink and a chat, as at the "Saupacker" in Allendorf where the local wild boar hunters appreciate a cool Pils and a clear corn schnaps. The Sauerlanders certainly do know a thing or two about brewing and distilling. They are experts when it comes to beer brewing, especially Pils. Warsteiner, Veltins and Krombacher now rival the traditional brewing areas of Germany. One must also mention the quaint old pubs, in Eslohe, Meggen and Willingen, where beer is brewed on the premises. Here the visitor can still sample a real "handmade" beer and enjoy the taste of a delicious naturally cloudy Pils straight from the vat.

Painters, sculptors, graphic artists, potters and other craftsmen are at work in their studios or workshops all over the Sauerland. Udo Wollmeiner, for example, in Oeventrop paints his figures, "Menschelkinder", in bright colours on wooden boards made out of old moor oaks. Many other artists also choose the lush green meadows and rustling forests in which to work; for example, Josef Bergenthal in Fredeburg, Pit Moog in Alme, Johannes Dröge in Sundern, Theo Sprenger in Brilon-Madfeld, Hinrich Graunhorst in the Rothaargebirge mountains, Josef Klute in the Sorpe valley near Rehsiepen and Heinrich Schneider on the Heiminghausen estate. The Sauerland has produced many great figures, among which, as art lovers will know, are August Macke, born in Meschede over one hundred years ago, and Peter Paul Rubens, born in Siegen over 400 years ago.

One other name must be included in this list of celebrities: that of Gerd Deimel, the chef in the tower restaurant on the "Kahler Asten".

In addition to this tower, those fond of hiking will find dozens more observation towers, which, "after a modicum of effort, will reward you with a fine view and a comfortable place to rest", true to the motto of the Sauerland Mountaineering Club. There are the Vincke and Bismarck towers, towers made of concrete and even finer ones made out of wood, old water towers and towers which formed part of the old Koblenz-Berlin signalling chain. From them all the visitor will be treated to a wonderful panoramic view of an unforgettable landscape.

In the Sauerland the visitor may also descend down deep tunnels, through endless broad and secret

Le style de vie des habitants du Sauerland a toujours fait naître des originaux qui se montrent sous des côtés pour le moins enjoués. Par exemple, Peter Kuhlmann de la vallée du Lennetal: le restaurateur divertit ses clients en jouant de l'orgue de Barbarie. Les auberges ont leurs tables d'habitués, comme celle du «Saupacker» à Allendorf: des chasseurs qui ne poursuivent que le sanglier et apprécient une Pils bien fraîche accompagnée d'un schnaps. Les habitants du Sauerland sont de grands brasseurs et distillateurs, des spécialistes de la bière, notamment de la Pils. Warsteiner, Veltins, Krombacher font aujourd'hui concurrence aux régions traditionnelles de bières en Allemagne. A Eslohe, Meggen et Willingen, de petites auberges accueillantes offrent des bières de fabrication maison. On peut encore voir comment la bière est brassée artisanalement et déguster une bonne pils naturelle, accompagnée bien sûr d'une eau-de-vie Schneider ou Kemper, selon la tradition du pays.

Les joyeuses tablées se racontent maintes anecdotes et plaisanteries; on y entend des histoires en haut-allemand ou en dialecte provenant d'auteurs du terroir qui ont écrit sur le Sauerland, ses paysages et sa souche d'hommes.

Les ateliers de peintres, sculpteurs, dessinateursgraveurs, potiers et artisans d'art sont nombreux dans la région. A Oeventrop qui domine la vallée de la Ruhr, Udo Wollmeiner peint ses «enfants d'hommes» dans des couleurs éclatantes sur des planches en chêne des marais. Des oeuvres pleines de joie de vivre baroque créées dans la solitude des forêts. Les prés verdoyants et les bois frémissants sont également les voisins paisibles des ateliers de Josef Bergenthal à Fredeburg, de Pit Moog à Alme, de Johannes Dröge à Sundern, de Theo Sprenger à Brilon-Madfeld, de Hinrich Graunhorst dans le Rothaargebirge et de Heinrich Schneider au domaine de Heiminghausen. Tous les connaisseurs d'art savent que le Sauerland est le berceau de grands noms de la peinture comme August Macke né à Meschede il y a 100 ans et Peter Paul Rubens né à Siegen il y a plus de 400 ans.

Pour rester avec les célébrités, citons Gerd Deimel dont le restaurant dans une tour panoramique est situé sur le Kahlen Asten, la deuxième montagne du Sauerland, près de Winterberg. Ce cuisinier réputé ne fait pas seulement une excellente cuisine, mais crée de merveilleuses sculptures dans des blocs de glace.

Outre cette tour, le randonneur en trouvera des douzaines d'autres, suivant la devise de l'Association montagnarde du Sauerland: « un effort moyen et sain, un beau panorama et une auberge accueillante». Les tours de Vincke et de Bismarck, des tours panoramiques en béton et en bois, d'anciens châteaux d'eau, les vieilles tours de signalisations de la ligne Coblence/Berlin mettent des paysages inoubliables au pied des visiteurs.

Sous terre, ils découvriront des galeries profondes, de vastes grottes mystérieuses et, revenus à l'air

Sie alle legen dem Besucher rundum eine unvergeßliche Landschaft zu Füßen.

Zu Fuß hinabsteigen kann man im Sauerland ebenso in tiefe Stollen, wie durch unendlich weite und geheimnisvolle Höhlen gehen, Hämmer, Hütten und Höfe besichtigen. Auch die Museen haben einiges zu zeigen: Von den Heimatstuben bis zu den alten Werkstätten der Feilenhauer, Pannenklöpper, Buchdrucker, Drechsler, Schmiede. Oder im einzigen Stickereimuseum der Bundesrepublik (Oberhundem) die Kunst von Nadel und Faden erleben. Bei Belecke findet man versteckt ein Oldtimer-Museum ganz besonderer Art: Kleinwagen vom Goggomobil bis zum heimischen Kleinschnittger der frühen Fünziger.

Wie gesagt, über 100 Schlösser und Burgen haben ihren Standort in den Tälern des Sauerlandes oder blicken stolz von den Bergkuppen herab, z.B. Burg Altena oder Bilstein. In Talauen träumen solche Renaissance-Anlagen hinter spiegelnden Wassergräben wie Adolfsburg oder Eringerfeld, schlafen kleine Dornröschen-Schlösser wie Höllinghofen, Laer, Alme, Eggeringhausen ihren fast tausendjährigen Schlaf, wird ein Tudorschloß wie Herdringen zur Filmkulisse beim Edgar-Wallace-Krimi. Hallenkirchen, ausgestattet im typischen sauerländischen Barock aus den Werkstätten in Grafschaft, Attendorn oder Giershagen, sind in vielen Orten zu finden. Oder eben ein klassizistisches Carree oder nur dieses schlichte Fachwerk in schwarz-weißem Schachbrettmuster mit den roten Geranien überall in den sauerländischen Dörfchen und Städtchen.

„Tue Recht und spreche wahr, dann kommst Du gut durch das ganze Jahr." So aus dem Herzen der Sauerländer sprechen die Inschriften auf den Balken ihrer Fachwerkhäuser. Sie geben Einblick in das Denken vergangener Jahrhunderte.

Alles das kann man auf einigen tausend Quadratkilometern zwischen Möhne, Ruhr und Sieg oder beim Blättern in diesen Seiten einer Farbbildreise durch das Sauerland erleben. Viel Freude dabei!

caves, or visit hammer mills, iron works and farms. On rainy days there is much to see in the museums, from traditional cottage interiors to old workshops for file-cutters, pan makers, printers, turners and blacksmiths; or, in the only museum in the Federal Republic devoted to embroidery, at Oberhundem, one can take a look at the gentle art of needle and thread. Near Belecke there is a very special kind of vintage car museum exhibiting various types of small car, including the Goggomobil, an early Messerschmitt model, and other originals from the Fifties.

As already mentioned, there are more than 100 castles and fortresses to be found in the Sauerland, nestling in the valleys or proudly looking down from the round mountain summits. Two such are the fortified castles of Altena and Bilstein. The Renaissance castles of Adolfsburg and Eringerfeld are dreamily reflected in the waters of their moats; small fairy-tale castles like Höllinghofen, Laer, Alme and Eggeringhausen continue their thousand years slumber, while Tudor castles such as that a Herdringen could almost be the set for an Edgar Wallace movie. Hall churches, decorated in typical Sauerland Baroque style by the craftsmen from the workshops in Grafschaft, Attendorn or Giershagen, can be found in many places. Everywhere in the small villages and towns of the Sauerland the visitor will come across buildings in the square classical style or simple black-and-white half-timbering splashed with red geraniums.

"Do what is right and speak the truth, then you will come safely through the year". These are the words spoken from the hearts of the Sauerlanders and found in inscriptions on the beams of their timber-framed houses.

All of this can be experienced in just a few thousand square kilometres between the Möhne, the Ruhr and the Sieg rivers or indeed by turning over the pages of this book to take a colourful journey through the Sauerland. Have an enjoyable trip!

libre, pourront visiter des forges, les bâtiments de mines désaffectées et des fermes. Pour les jours pluvieux, de nombreux musées ont beaucoup de choses à montrer: depuis des intérieurs de demeures d'autrefois aux anciens ateliers de tailleurs de limes, de chaudronniers, d'imprimeurs, de tourneurs et de maréchaux-ferrants. On peut admirer l'art du fil et de l'aiguille à Oberhunden qui abrite l'unique musée de la Broderie d'Allemagne. Près de Belecke, se trouve un musée d'automobiles anciennes particulier en son genre: il expose de petites cylindrées, depuis les Goggomobiles aux modèles du début des années 50.

Plus de 100 forteresses et châteaux parsèment les vallées ou se dressent fièrement sur les sommets du Sauerland. Deux d'entre eux sont les châteaux d'Altena et de Bilstein. Au fond de vallons, des édifices Renaissance, comme Adolfsburg et Eringerfeld, se reflètent rêveusement dans l'eau de leurs douves; de petits châteaux de la Belle au Bois dormant sont assoupis depuis près de mille ans à Höllinghofen, Laer, Alme et Eggeringhausen; un château de style Tudor, Herdringen, servit de décor à un film policier d'Edgar Wallace. De nombreuses communes possèdent des églises à l'intérieur en style «baroque du Sauerland», provenant des ateliers de Grafschaft, Attendorf ou Giershagen et ont parfois de belles places de style classique. Et tous les villages et petites villes du Sauerland abritent des foisons de maisons à colombages, aux façades sévères noires et blanches, décorées de géraniums rouges.

«Fais ce qu'il faut et sois franc, tu seras heureux pendant tout l'an.» Les inscriptions ornant les poutres des maisons à pans de bois sont sorties du cœur de leurs habitants; elles dévoilent aussi la mentalité des siècles passés.

Tout cela est à découvrir sur quelques milliers de kilomètres carrés entre Möhne, Ruhr et Sieg, ou dans ce livre qui emmène en un voyage photographique en couleurs à travers le Sauerland. Bonne route!

Die Ruhr umfließt in einer Doppelschleife die heimliche Hauptstadt des Sauerlandes, die von Grafen, Kurfürsten und Preußen regiert wurde und seit über 750 Jahren Stadtrechte genießt. Heute genießen vornehmlich die Beamten der vielen Verwaltungen die beschauliche Ruhe dieses Bergstädtchens. Mehr über die historische Altstadt erfährt man bei einer spannenden Stadtführung (02931/12165) auf der „Historischen Meile von Turm zu Turm": von der Lederbrücke, einem Brudermord und der Klostergründung.

The Ruhr flows in a double loop around this peaceful administrative capital of the Sauerland. Arnsberg gained its town charter over 750 years ago and has been ruled by Counts, Electors and Prussians. A guided tour of the old town (02931/12165), following the "historical mile from tower to tower", will tell much about its exciting history; about the "Leather Bridge", a fratricide and the founding of a monastery.

La Ruhr décrit une double boucle autour de la capitale secrète du Sauerland où régnèrent des comtes, des princes-électeurs et les Prussiens et qui reçut son droit de cité il y a 750 ans. Aujourd'hui, les fonctionnaires des nombreux services d'administration jouissent de l'atmosphère paisible de la petite ville montagnarde. Une visite captivante (02931/12165), appelée «une lieue historique de tour en tour», fera découvrir l'histoire de la Vieille-Ville (Altstadt) d'Arnsberg qui parle d'un pont de cuir, d'un fraticide et de la création du cloître.

Unmittelbar vor dem majestätischen Glockenturm mit Stadttor liegt der Marktplatz mit dem Alten Rathaus von 1709 und seinem Glockenspiel. Kurfürst Maximilian Friedrich schenkte 1779 seinem Residenzstädtchen zur Verschönerung den Brunnen mit Obelisken. Drei Prämonstratenser - Klöster im Stadtgebiet von Arnsberg haben segensreich gewirkt. Davon ist Kloster Oelinghausen heute eine Wallfahrtskirche zur Muttergottes des Sauerlandes. Die Altäre und Apostelfiguren der Kirche sind von Wilhelm Splithofen geschaffen.

At the foot of the majestic bell tower and town gate lies the market place with the Old Town Hall, built in 1709, and its carillon. In 1779 the Elector Maximilian Friedrich presented the town with a fountain decorated with obelisks. Arnsberg is also greatly enhanced by three monasteries. One of them, the monastery of Oelinghausen, with its church dedicated to the Holy Virgin of the Sauerland, is today a place of pilgrimage.

Le Marktplatz (place du Marché) avec l'Hôtel de Ville de 1709 et son carillon, s'étend devant le majestueux campanile avec la Porte de la Ville. La fontaine à l'obélisque de 1779 est un cadeau du prince-électeur Maximilien-Frédéric qui désirait enjoliver sa résidence. Les trois cloîtres de Prémontrés d'Arnsberg ont apporté beaucoup de bienfaits à la ville. Le cloître Oelinghausen est aujourd'hui une église de pèlerinage dédiée à la Madone du Sauerland. Ses autels et statues d'apôtres sont de Wilhelm Splithofen.

◁ Schloß Herdringen
Schloß Höllinghofen ▷

Besinnlich spiegeln sich Türme und Zinnen des neugotischen Teiles von Schloß Herdringen in der Gräfte wieder. Der Dombaumeister Ernst Friedrich Zwirner schuf 1848-52 diesen bedeutendsten neugotischen Schloßbau Westfalens. Wenn auch nur von wildem Wein und Efeu umrankt, so ist Höllinghofen doch das „Dornröschen-Schloß" des Sauerlandes. Besonders zur Rhododendron-Blüte und im Herbst bei feurig rotem Weinlaub bietet das über 950 Jahre alte Schloß eine Augenweide! Ganz in der Nähe liegt der Wildwald Vosswinkel.

◁ Herdringen Castle
Höllinghofen Castle ▷

The towers and battlements of Herdringen Castle are dreamily reflected in the waters of the Gräfte. The neo-Gothic part was added to the 950-year-old castle between 1848 and 1852 by the cathedral architect and master builder Ernst Friedrich Zwirner. Overgrown with Virginia Creeper and ivy, Höllinghofen is, surely, the most picturesque fairy-tale castle in the Sauerland. When the rhododendrons are in bloom or in late autumn when it is clad in fiery-red foliage the castle is a splendid sight.

◁ Château de Herdringen
Château de Höllinghofen ▷

Les tours et créneaux de la partie néogothique du château de Herdringen se mirent rêveusement dans les douves. Le maître-d'oeuvre Ernst Friedrich Zwirner construisit le plus important des édifices néo-gothiques de Westphalie entre 1848 et 1852. - Même s'il ne se cache que sous la vigne sauvage et le lierre, le château de Höllingen est le berceau de la Belle au Bois dormant du Sauerland. L'édifice, construit il y a plus de 950 ans, est un véritable plaisir des yeux à la saison des rhododendrons en fleurs et des feuillages automnaux. La forêt giboyeuse de Vosswinkel s'étend tout près.

Nur fünf Jahre brauchte man 1913, um die Möhne-talsperre zu bauen. Eine aus Bruchsteinen gesetzte Staumauer von 650 m Breite, 40 m Höhe und der Sohlenbreite von 34 m und Kronenbreite von 6,5 m hält 134,5 Millionen cm³ Wasser! Bei Hochwasser fließt das zuströmende Wasser durch 105 Öffnungen von 2,5 m Weite unterhalb der Fahrbahn auf der Dammkrone und stürzt, sich vielfach brechend und zerstäubend, als 300 m langer und 32 m hoher schleierartiger Wasserfall herab. Ein wahrhaft technisches Kulturdenkmal!

It only took five years to build the Möhne dam, completed in 1913. Its dam wall made of quarry stone is 650 m across, 40 m high, 34 m wide at the base, 6.5 m wide at the top and contains 134.5 million cubic metres of water. When the water levels are high, the overflow rushes through 105 openings, 2.5 metres wide, located underneath the road on top of the dam and cascades down, forming a 300 m long and 32 m wide veil of water and spray. A truly monumental feat of engineering.

Construit en 1913, la réalisation du barrage de la Möhne n'a duré que 5 ans. Edifié en pierres de taille, le mur de retenue a 650 mètres de long, 40 mètres de haut, 34 mètres d'épaisseur au sol, 6,5 mètres au faîte, et retient 134,5 millions de mètres cubes d'eau! Pendant les crues, l'eau qui arrive coule par 105 ouvertures de 2,5 mètres de largeur pratiquées sous le sommet du barrage et se précipite en une cascade bondissante de 300 mètres de long et 32 mètres de haut. Un véritable monument de la technique!

Wie an einer Perlenschnur aufgereiht, liegen im Möhnetal die Orte Niederbergheim, Allagen, Sichtigvor, Mülheim und Belecke. Besonders reizvoll ist in Allagen das alte schloßähnliche Haus Dassel mit seiner Heimatstube. Ein Marmorlehrpfad bietet Einblicke in die Geologie des Möhnetales. An den Ufern des Flüßchens Möhne liegt noch die frühere Kommende des Deutschritterordens in Mülheim, eine ehemalige Kettenschmiede und eine Wassermühle.

The villages of Niederbergheim, Allagen, Sichtigvor, Mülheim and Belecke lie stretched out like a row of pearls along the Möhne valley. Dassel House in Allagen, a beautiful castle–like building, has a typically furnished and decorated interior. A "marble information trail", offers insights into the geology of the Möhne valley. On the banks of the small river Möhne are also the former benefices of the Teutonic Order of Knights in Mülheim, a chainsmiths and a water mill.

Telles les perles d'un collier, les localités de Niederbergheim, Allagen, Sichtigvor, Mülheim et Belecke se succèdent dans la vallée du Möhnetal. Allagen abrite un édifice particulièrement intéressant: la résidence Dassel ressemblant à un petit château, avec un salon typique pour la région. Un sentier en marbre offre un aperçu de la géologie du Möhnetal. A Mülheim, sur les rives de la rivière Möhne, on peut voir une ancienne commanderie de l'Ordre des Chevaliers teutoniques, une vieille forge et un moulin à eau.

Zwischen Möhne und Wäster scharen sich die Häuser eng um den Propstei-Berg. Kaiser Otto II. schenkte hier seiner Gemahlin Theophanu eine Burg. 1296 erhielt Belecke Stadtrechte. Die malerische Altstadt mit der Propsteikirche lädt zu einem reizvollen Spaziergang ein. Am Ortseingang liegt an der Wäster die alte Getreidemühle, die heute der Stadt Warstein gehört. Die Propsteikirche hatte in früheren Jahrhunderten das alleinige Recht, Mühlen zu unterhalten. Dabei mußten die Bewohner der Umgebung hier ihr Korn mahlen lassen.

Between the rivers Möhne and Wäster the a charming collection of houses and the Propstei Church huddle around the Propsteiberg mountain. It was here that Emperor Otto the Second had a castle built for his wife Theophanu. In 1296 Belecke received its town charter. At the entrance to the town, on the river Wäster, lies an old mill where in times past the locals brought their grain. The Propstei church owned the mill and had sole rights to grind corn.

Les maisons se nichent autour du mont du Prieuré entre la Möhne et la Wäster. Ici, l'empereur Otto II offrit un château à son épouse Théophanou. Belecke reçut son droit de ville en 1296. La Vieille-Ville pittoresque avec l'église de prieuré invite à la promenade. – L'ancien moulin à grains, appartenant aujourd'hui à la ville de Warstein, se dresse sur la Wäster, à l'entrée de la localité. Jadis, le prieuré avait seul le droit de posséder un moulin. Les habitants des environs devaient venir y moudre leurs grains.

In der dunklen Front der Glasfassade des Verwaltungsgebäudes der Großbrauerei Warstein spiegelt sich die Altstadt und der Turm der Pfarrkirche wider. Hier laufen die Fäden der erfolgreichsten und größten deutschen Pilsbrauerei zusammen. Die Waldparkbrauerei selbst liegt vor den Toren der Stadt. Das Denkmal von H. Sommer vor dem Eingang erinnert an die fleißigen Brauer und erzählt in einem umlaufenden Bronzerelief von dem traditionsreichen Handwerk.

Reflected in the tinted glass facade of the Warstein Brewery's offices are the old town and the tower of the parish church. This is the hub of the most successful and the largest Pils brewery in Germany. The monument by H. Sommer in front of the entrance recalls the hardworking brewers and a bronze relief tells the story of this traditional craft. Just outside the town is the brewery itself.

La Vieille-Ville et une tour de la cathédrale se reflètent dans les façades en verre sombre des édifices administratifs de la plus grande et plus prospère brasserie de Pils d'Allemagne. Le parc boisé de la brasserie s'étend aux portes de la ville. Le monument de H. Sommer qui se dresse devant l'entrée, est un hommage aux brasseurs et raconte les traditions de la fabrication de la bière dans des reliefs en bronze.

Vom Jagdhaus Hubertus rauscht die „Schlagwasser" zur Kallenhardter Heide hin, um später in die Glenne zu münden. Vom Parkplatz Heide beginnen mehrere kürzere oder längere reizvolle Rundwanderwege. Einer davon führt durch grüne Akkerflure und über buschbestandene Wege zur Kulturhöhle „Hohler Stein". Ausgrabungsfunde haben gezeigt, daß hier schon zur Steinzeit vor 11000 bis 10000 Jahren Menschen gelebt haben. Auch zu späteren Zeiten haben hier Menschen immer wieder Zuflucht gesucht.

The "Schlagwasser" (Crashing waters) river rushes from the Hubertus hunting lodge towards Kallenhardt Heath and later into the Glenne. One of the footpaths leading from the heath car park passes through green fields and along bush-lined paths to the "Hohler Stein" (Hollow Stone), a cave of historical and cultural interest. Excavations have revealed that people were living here 10,000 to 11,000 years ago during the Stone Age. Even in later times, this was a place of refuge.

Depuis le pavillon de chasse Hubertus, la «Schlagwasser» coule vers la lande de Kallenhardt avant de se jeter dans la Glenne. Plusieurs circuits de randonnées, plus ou moins longs, commencent au parking de Heide. L'une de ces promenades agréables traverse des prés verdoyants et conduit par des sentiers buissonneux à la grotte de «Hohler Stein». Des fouilles ont révélé que des hommes y vivaient déjà à l'âge de la pierre, il y a 10 000 à 11 000 ans. Des hommes y ont également trouvé refuge à l'âge du fer et au moyen-âge.

Auf der „Kahlen Höhe" hat sich die spätere Stadt aus einer Burg entwickelt, die sich nahe der heutigen Pfarrkirche St. Clemens befand. Der Ort zeigt besonders von Westen her noch immer einen festungsartigen Charakter. Mit der Hennetalsperre wird der Wasserstand der Ruhr reguliert. Sie ist die älteste Talsperre des Sauerlandes: 1901-1905 wurde zunächst eine Staumauer gebaut, die 1952-1955 durch einen Damm ersetzt wurde. Vom hochgelegenen Flugplatz Schüren gibt es einen besonders schönen Blick auf den See.

The town on the "Kahle Höhe" mountain grew up around a fortified castle which was situated near the present-day parish church of St. Clement. The town, particularly when seen from the west, still looks like a fortress. The water level of the river Ruhr is controlled by the oldest dam in the Sauerland, the Henne dam. The first structure was built between 1901 and 1905 and replaced in the mid Fifties by a new dam wall. A fine view of the reservoir can be enjoyed from Schüren airport.

La ville s'est développée sur la «Kahle Höhe» à partir d'une forteresse qui s'élevait près de l'église paroissiale actuelle de Saint-Clémens. Le côté occidental de la localité montre encore un caractère fortifié. – Le barrage de Henne régularise le niveau d'eau de la Ruhr. Il est le plus ancien barrage du Sauerland: le mur de retenue érigé de 1901 à 1905 a été remplacé par un nouveau barrage en remblai entre 1952-1955. Un panorama splendide sur le lac s'offre depuis l'aéroport de Schüren, construit sur les hauteurs.

Am westlichen Ortseingang von Meschede liegt das Wasserschloß der Grafen von Westfalen in Laer. Unter Heinrich von Westfalen entstand das Herrscherhaus, in der Mittelachse unterteilt durch einen quadratischen Treppenturm mit Barockhaube und Barockportal. Vom Wanderparkplatz am Teehaus steigt der Weg zum „Küppelturm" an. Hoch oben über dem Ruhrtal erhebt sich das mächtige Holzgerüst des Aussichtsturmes, der eine herrliche Sicht über die Höhenzüge des Sorpe- und Mescheder Berglandes bietet.

At the western edge of Meschede lies Laer Castle, which was the home of the Counts of Westphalia . This stately home, built under Heinrich von Westfalen, has a centrally placed square stair tower with Baroque cupola and portal.The path to the Küppel Tower starts at the car park next to the teashop. High above the Ruhr valley the mighty wooden frame of the observation tower offers a splendid view over the Arnsberger Woods and the Sorpe and Meschede valleys.

Le château de Laer des comtes de Westphalie se dresse sur la Ruhr, à la sortie occidentale de Meschede.L'édifice de trois étages, avec des éléments baroques, n'est pas ouvert au public. Depuis le parking des randonneurs au Teehaus, le sentier grimpe au «Küppelturm». La silhouette massive de la tour panoramique en bois domine la vallée de la Ruhr. Le visiteur aura une vue magnifique sur les crêtes des monts de Sorpe et Meschede.

Der Marktplatz in Brilon ist der Ausgangspunkt des berühmten Schnadezuges (Traditioneller Kontrollgang entlang der Stadtgrenzen) und Mittelpunkt vieler Volksfeste. Sechshundert Jahre zählt der „Kump" (Brunnen) schon. Ihn schmücken eine Petrusfigur und Wappen alteingesessener Familien. Auf der anderen Seite steht das Rathaus von Brilon, das um 1250 erbaut wurde. Die schöne Barockfassade ist mit den Geweihen kapitaler Hirsche als Symbol der großen Jagdreviere der Stadt geschmückt.

The marketplace in Brilon is the focus for many traditional festivals. A figure of St. Peter, and the coats of arms of old-established local families adorn the 600-year-old fountain, known as the "Kump". On the opposite side is the Town Hall, built in 1250. Its beautiful Baroque facade is decorated with splendid antlers, representing the town's importance as the centre of a hunting district. The carillon on the Town Hall shows scenes from a local procession.

La place du Marché de Brilon est le point de départ du célèbre défilé des douaniers et la scène d'un grand nombre de fêtes populaires. La fontaine, vieille de 600 ans, est décorée d'une statue de Saint-Pierre et des blasons des familles nobles de l'endroit. L'Hôtel de Ville, bâti vers 1250, se dresse sur la place. Sa belle façade baroque est décorée de bois de cerfs, symboles des grandes chasses de la ville. A 11, 15 et 17 heures, l'horloge de l'Hôtel de Ville montre des scènes du défilé des douaniers.

Ein besonders geschichtsträchtiger Ort ist der Ortsteil Obermarsberg in der nordöstlichsten Stadt des Sauerlandes, Marsberg. Vor dem alten Bruchstein Rathaus steht das Zeugnis mittelalterlicher Gerichtsbarkeit, der Pranger. Nur einen Steinwurf entfernt liegt die großartig ausgestattete Stiftskirche (Barockaltäre etc. aus der Papen-Werkstatt) oder zur anderen Seite die katholische Kirche St. Nikolaus, bedeutendste spätromanisch-frühgotische Kirche Westfalens. In der Nähe sind Reste der Stadtmauer mit Türmen zu finden.

Obermarsberg, a suburb of Marsberg, in the north-eastern corner of the Sauerland, is a place full of history. In front of the old stone Town Hall is the symbol of mediaeval justice – the pillory. Only a short distance away, the splendid Stiftskirche boasts magnificent Baroque altars. In the opposite direction is the Catholic Church of St. Nicholas, the most significant late Romanesque/early Gothic church in Westphalia. Nearby stand the ruins of the city wall and its towers.

Obersmarsberg, faubourg de Marsberg située au Nord-Est du Sauerland, a un passé historique important. Devant l'ancien Hôtel de Ville, un pilori témoigne de la justice médiévale. A proximité se dresse l'église paroissiale admirablement aménagée, avec entre autres, des autels baroques venant des ateliers Papen; lui faisant face: l'église catholique Saint-Nicolas, le plus important édifice de style roman tardif/gothique primitif de Westphalie. Tout près, on peut voir des vestiges de l'enceinte de la ville avec des tours.

Den kleinsten Stausee des Sauerlandes teilen sich zwei Bundesländer: Nordrhein-Westfalen und Hessen. Der See hat nur eine Fläche von 166 ha. Heringhausen liegt auf der sauerländischen Landseite. Der Naturpark Diemelsee drumherum wird ebenfalls zwischen den Bundesländern und den Feriengebieten Sauerland und Waldecker Land geteilt. Aber gerade deshalb geht es hier wohl unendlich ruhig und gemütlich zu. Hier in der Stille der Natur ist Urlaub noch wirkliche Entspannung, kommt die Seele zur Ruhe.

The smallest reservoir in the Sauerland, the Diemelsee, lies on the border between two regions, North Rhine-Westphalia and Hesse. It has an area of only 166 hectares. The town of Heringhausen lies on the Sauerland bank. Around the reservoir are the wide expanses of the Diemelsee national park, where in the tranquillity of natural surroundings, mind and body can be refreshed.

Deux Länder: la Rhénanie du Nord-Westphalie et la Hesse se partagent le plus petit lac artificiel du Sauerland avec une superficie de 166 hectares. Heringhausen s'étend sur le côté appartenant au Sauerland. Le parc naturel dit Diemelsee est également partagé entre les deux Länder et les régions touristiques Sauerland et Waldecker Land. La contrée entière est un véritable havre de tranquillité où l'on peut passer des vacances de tout repos et goûter réellement la paix de la nature.

Willingen ist von den sieben höchsten Bergen des Hochsauerlandes umgeben. Eine Aufforderung zum Wandern über die Achthunderter! Köstliche Entspannung besorgen anschließend entweder das originelle Bistro „Don Camillo" oder die sanften, warmen Wellen des Lagunenbades. Für beinahe alpine Töne sorgt Siggi auf dem Ettelsberg mit seinem Alphorn-Trio oder der geschwungenen Gartenschlauch-Posaune. Für Wißbegierige hält das Besucherbergwerk seine Tore geöffnet.

Willingen is surrounded by the seven highest peaks (over 800 metres) in the Sauerland – an irresistable challenge to the walker! For relaxation afterwards, try the "Don Camillo" a charming little bistro in a converted church building, or bask in the warm, gentle waters at the "Lagoon Baths". On the Ettelsberg mountain there is an almost Alpine flavour with Siggi and his Alphorn Trio! Those thirsty for knowledge can visit a local mine which is open to the public.

Les sept massifs les plus élevés du Haut-Sauerland entourent la station thermale de Willingen. Les randonnées à des hauteurs de 800 mètres exigent une bonne condition physique! Après l'effort, le café original «Don Camillo» (dans une ancienne église protestante), ou les vagues chaudes du bain de la Lagune offrent une délicieuse détente. Sur l'Ettelsberg, le trio de trompes alpestres ou les trombones «à tuyaux d'arrosage» de Siggi vous transportent presque dans les Alpes. La mine ouvre ses portes à ceux avides de savoir.

Am Abhang des Istenberges ragen vier mächtige Felsblöcke über den Wald hinaus. Dieses Naturdenkmal entstand durch Lava, die aus dem Grund des Devonmeeres (vor 350 Millionen Jahren!) ausfloß und erstarrte. Bis heute zerbrechen sich Historiker darüber den Kopf, wer die Wallanlage zwischen diesen Steinen angelegt haben könnte. Waren es die Kelten im 6. Jahrhundert v.C.? Oder war diese Wallburg ein Heiligtum der westgermanischen Istwäonen? Hat Tacitus mit dem „Templum Tamfanae" die Steine gemeint?

On the slopes of the Istenberg mountain four mighty rocks project above the forest. Geologists explain that they were formed some 350 million years ago by lava pouring out from the sea bed, but historians still puzzle about the evidence of human settlement on top of the lava wall. Were the Celts responsible for building these fortifications, or the Germanic Istwäonen tribe? Did Tacitus mean these stones when he referred to the "Templum Tamfanae"?

Accrochés à un flanc de l'Istenberg, quatre rochers massifs dominent la forêt. Ce monument naturel a été créé par la lave qui s'est écoulée des fonds de la mer de Devon (il y a 350 millions d'années) et s'est figée en pierre de porphyre. Le site que les géologues s'expliquent clairement reste un mystère pour les historiens: les Celtes ont-ils aménagé cette enceinte au 6e siècle avant Jésus-Christ? Etait-ce un lieu sacré des Germains occidentaux Istvaones? Ou encore le «Templum Tamfanae» de Tacite?

In Assinghausen steht eine Fachwerk-Parade geradezu Spalier für den Besucher. Von den blitzsauberen schwarzweißen Gefachen leuchten rot, wie mit Schneewittchens Blut gemalt, die Geranien. Sinnsprüche und Inschriften berichten von den Erbauern und zeugen von ihrem christlichen Bekenntnis. In der Ortsmitte steht das Denkmal des sauerländischen, westfälischen Dichters Friedrich Wilhelm Grimme. Im nahen Spieker von 1566 wurden die Zehntabgaben gespeichert. Am Ortsrand liegt die alte, sehr schöne Fuhrmannskapelle.

In Assinghausen a row of half-timbered houses stands as if on parade. The black-and-white facades provide the perfect backdrop for the brilliant red geraniums. Inscriptions tell of the builders and bear witness to their Christian faith. In the centre of the town is a memorial to the Sauerland poet Friedrich Wilhelm Grimme. In a nearby granary, dating from 1566, the tithes were stored. On the edge of town is the old and very beautiful Waggoners' Chapel (Fuhrmannskapelle).

Assinghausen offre aux visiteurs un décor unique de maisons à colombages. Les teintes rouge vif des géraniums rehaussent les façades d'une blancheur immaculée striée de noir. Les inscriptions et devises au-dessus des portes racontent l'histoire des demeures et la foi de leurs habitants. La sculpture de Friedrich Wilhelm Grimme, poète du terroir, se dresse au coeur du village. Le grenier proche de 1566 contenait les dîmes des blés. La belle chapelle ancienne de Fuhrmann s'élève à la lisière du village.

Die höchstgelegene Stadt Nordrhein-Westfalens ist Winterberg. Einstmals ein armes Gebirgsdorf, heute einer der renommiertesten heilklimatischen Kurorte Deutschlands mit vielen abwechslungsreichen Wanderwegen an Bachtälern, über Hochheiden durch rauschende Bergwälder mit weiten Fernsichten, aber auch vielfältigen Wintersportmöglichkeiten: Von der Sprungschanze einer modernen Bob-, Rodel- und Skeletonbahn, der einzigen alpinen FIS-Abfahrt in NRW bis zu sonnenüberfluteten Loipen und Rodelbahnen.

Winterberg is the highest town in North Rhine-Westphalia. Once a poor hill village, today it is renowned throughout Germany as a health resort, with many beautiful walks along rushing streams, or up on the high moor. Winter sports, too, are well catered for; facilities include a ski jump and the only internationally recognised bobsleigh and toboggan run in North Rhine-Westphalia. Cross-country skiing and sledging round off the winter fun.

Winterberg est la ville la plus élevée de la Rhénanie du Nord-Westphalie. Autrefois un pauvre village montagnard, elle est aujourd'hui une station climatique renommée, départ de très belles randonnées dans des vallons riants et des landes sauvages, à travers des forêts frémissantes d'où l'on découvre d'admirables panoramas. Elle offre de nombreuses possibilités de sports d'hiver, notamment un tremplin et des pistes modernes de bobsleigh, de luge, de ski de fond et la seule descente de ski alpin agréée par la FIS en RNW.

Wenn auch Medebach selbst arm an historisch be-achtenswerten Architekturen ist, so widmet man sich hier doch mit besondere Sorgfalt dem erho-lungssuchenden Aktivurlauber. Inmitten eines saf-tiggrünen Wiesenlandes liegt das Dorf Deifeld, das allerdings mit einem beachtlichen romanischen Hallenbau, St. Johannes Baptist, aufwarten kann; überragt von dem Westturm, der bekrönt ist mit einer Barockhaube. Den Zugang zur alten Kirche öffnet eine nägelbeschlagene Tür in einem drei-fach gestuften Portal.

Although lacking in buildings of architectural and historic interest, Medebach has much to offer those in search of activity or relaxation. The village of Deifeld, nestling in lush green meadows, can, however, claim a Romanesque hall church dedi-cated to St. John the Baptist. Its imposing west tower is crowned with a Baroque dome. The en-trance to the old church is through an impressive portal with studded door.

Si Medebach possède peu d'édifices historiques, c'est un endroit idéal pour passer des vacances ac-tives. Le village de Deifeld se niche au coeur d'un paysage de prés verdoyants. Il est dominé par la Tour d'Ouest (Westturm) couronnée d'un dôme baroque de la belle église romane de Saint Jean-Baptiste. On entre dans la vieille église par un por-tail à trois arcades aux portes décorées de clous.

Hallenberg

Wenn in Hallenberg die Obstbäume blühen, dann ist Ostern schon einige Zeit vorbei. Vorbei mit dem alten Brauch der "Krachnacht" zum Ostersonntag. Mit höllischem Lärm jagen die Hallenberger den grimmen König Winter davon, auf daß der Frühling mit all seiner Blütenpracht einkehre! Dann bieten sich rund um Hallenberg erholsame Wanderungen an: zur Ziegenhelle (810m), zum Heidkopf (703 m) oder in die Wacholderheide bei Braunshausen. In Hesborn gibt es die Pfarrkirche St. Goar und die Barockausstattung des Klosters Glindfeld zu entdecken.

Hallenberg

By the time the fruit trees blossom in Hallenberg, Easter and its associated local „Krachnacht" activities are over. On Easter Sunday it is the custom to run through the streets making as much noise as possible, so as to banish the grim King of Winter, and speed the onset of spring. The walker can choose between the Ziegenhelle (810 m), the Heidkopf (703 m) or the juniper moor near Braunshausen; or across to Hesborn to see the parish church of St. Goar and the Baroque Glindfeld monastery.

Hallenberg

Pâques est déjà passé depuis quelque temps quand les arbres fruitiers s'épanouissent à Hallenberg. Et cela, malgré la vieille coutume de la «Krachnacht»: le lundi de Pâques, les habitants de la ville chassent bruyamment le roi maussade Hiver pour permettre au printemps fleuri de revenir. La contrée offre alors de belles promenades: au Ziegenhelle (810 m.), au Heidkopf (703 m.), dans la lande de genévriers près de Braunshausen, à Hesborn avec son église St Goar ou au cloître baroque de Glindfeld.

Kahler Asten (841m)

Es ist zwar nicht der höchste Berg des Sauerlandes (der höchste ist der Langenberg mit 843 m), aber der Berg mit den meisten Besuchern. Anziehungspunkte sind verschiedene: Zum einen sicher der 23 Meter hohe Astenturm. 1884 wurde der Grundstein gelegt. Doch der erste Turm stand nur vier Monate, bevor er aus ungeklärten Gründen einstürzte'. 1889 entstand der neue Turm, indem sich heute ein Restaurant befindet.

Kahler Asten (841 m)

At 841 m the Kahler Asten may not be the Sauerland's highest peak (the Langenberg is the highest at 843 metres) but it is the most popular. One of its many attractions is doubtless the 23 metre high Asten Tower. The foundation stone was laid in 1884, but four months later it collapsed, for reasons which are still unknown to this day. In 1889 a new tower was built and it now houses a restaurant.

Kahler Asten (841)

Si le Kahler Asten (841 mètres) n'est pas le sommet le plus élevé du Sauerland, (le plus haut est le Langenberg avec 843 m.), il est sans aucun doute le plus fréquenté. Une excursion populaire mène à l'Astenturm haute de 23 mètres. La première pierre de la tour d'origine était posée en 1884; mais l'édifice s'effondra quatre mois plus tard sans qu'on en découvre jamais la raison. La tour panoramique actuelle date de 1889 et abrite un restaurant.

Hier soll vor der Jahrhundertwende ein Förster der erste Skiläufer gewesen sein, mit Brettern im wahrsten Sinne des Wortes, die seine adeligen Gebieter aus Norwegen mitgebracht hatten. Andere erzählen, der Pastor vom Dorf nebenan, Altastenberg, hätte vom tief verschneiten Pastorenhaus nur mit Skiern den Weg zur Kirche gefunden, und das sei der Beginn des Winter-Tourismus gewesen. Wie dem auch sei, am Astenberg findet der Brettl-Fan alles, was das Herz begehrt, von Liften und Pisten bis zu Loipen und Apres-Ski!

The story goes that the first skier in the area was a local forester, using a primitive form of skis brought back by his master from Norway. Others tell of a parish priest from the neighbouring village of Altastenberg, who, marooned by deep snow, only made it to church by using skis, thereby founding the winter tourist trade. However that may be, in Neuastenberg the ski enthusiast can find everything the heart desires, from lifts and pistes to cross-country ski routes and après-ski.

Au tournant du siècle, un forestier aurait été le premier skieur, sur des patins de bois que son maître noble avait rapportés de Norvège. D'autres racontent que le pasteur du village voisin, Altastenberg, devait chausser des skis pour aller du presbytère enfoui sous la neige à l'église. Cela aurait été le début des sports d'hiver dans la région. Quoi qu'il en soit, les amateurs de ski trouveront tous les plaisirs de la neige à Neuastenberg: remonte-pentes, pistes alpines et de fond et soirées divertissantes!

Unterhalb des sagenumwobenen Wilzenberges (658 m) liegen Dorf und Kloster Grafschaft. Bereits um 1055 wird von dem segensreichen Wirken der Benediktiner im Kloster berichtet. In der Folgezeit bedeutender kultureller Mittelpunkt des Sauerlandes. Die jetzigen Klostergebäude stammen aus dem Jahre 1729. Seit 1948 sind Borromäerinnen in der Fachklinik Kloster Grafschaft tätig.

Below the legendary Wilzenberg mountain (658 m) are the village and monastery of Grafschaft. As early as 1055 records tell of the great benefit brought to the local area by the Benedictine monks. In the following centuries the monastery became an important cultural centre in the Sauerland. The buildings which we see today were built in 1729. Since 1948 part of the monastery has been used to house a specialist clinic.

Le village et le monastère de Grafschaft se trouvent au pied du Wilzenberg (658m.) auquel est attachée une légende. Dès 1055, des écrits rapportent les bienfaits des Bénédictins. Plus tard, le monastère devint un centre culturel important du Sauerland. Les édifices actuels datent de 1729. Depuis 1948, des infirmières de l'ordre des Borroméennes soignent les malades dans la clinique du cloître Grafschaft.

Auf der Winterberger Hochfläche am Kahlen Asten entspringt die Lenne. Im Tal dieses schönen Flüßchens liegt beim Übergang zum Kreis Olpe das Dörfchen Lenne. Besonders sehenswert ist neben dem kleinen Fachwerk-Backhaus die Pfarrkirche St. Vinzenz, inmitten des dörflichen Friedhofes. Sie vereint Stilelemente von der Romantik bis hin zum Barock.

High on the slopes of the Kahler Asten is the source of the river Lenne. Nestling in the Lenne valley is the village of the same name. A quaint little half-timbered bakery is well worth seeing, as is the parish church of St. Vincent and its peaceful churchyard. The church combines Baroque and Romanticist architectural styles.

La Lenne prend sa source au Kahlen Asten sur le haut-plateau de Winterberg. Le village de Lenne se niche dans la vallée de cette jolie rivière, à la frontière du département d'Olpe. Outre le fournil dans une petite maison à colombage, il faut voir l'église paroissiale Saint-Martin qui se dresse au centre du cimetière. L'édifice réunit des éléments de styles différents, du romantique au baroque.

Hier liegt die wahre Größe einer Kleinstadt: Ausmaße einer Millionenmetropole (302 km² mit 83 Ortsteilen), die Einwohnerzahl (24 000) einer Kleinstadt. Hier findet der Urlauber nicht nur „Natur pur", sondern eine wirklich bunte Palette abwechslungsreicher Angebote: vom Golfplatz bis zum „Eiffelturm" (Wilzenberg), den ältesten Bergkirchen (Berghauen, Wormbach), Schieferbergwerken, einem Heimatmuseum bis zu Einkaufsmöglichkeiten in der renommierten Textilindustrie.

Schmallenberg, situated amid beautiful farm land, has the dimensions of a metropolis (304 sq. km), but the population of a small town (24 000 inhabitants). For the visitor this offers a wonderful range of activities; walks in the countryside, a fascinating museum of local history, old mountain churches (Berghauen and Wormbach), slate mines; a round of golf or a shopping trip around the town, famous for its textile trade.

Schmallenberg a la superficie d'une métropole (302 km² avec 83 hameaux) et le nombre d'habitants d'une petite ville (24 000). Ici, les visiteurs trouveront un véritable cadre champêtre et une bonne gastronomie de même qu'une palette d'offres variées: un terrain de golf, une Tour Eiffel à Wilzenberg, d'anciennes églises montagnardes à Berghauen et Wormbach, des fabriques d'articles en ardoise, un musée régional avec de belles collections et une industrie textile renommée proposant des achats intéressants.

Es lohnt sich, durch dieses Dörfchen unten im Lennetal zu streifen: ein schönes Fachwerkhaus neben dem anderen entzückt hier das Auge des Betrachters. Dazwischen mit Blütenpracht übersäte Bauerngärten! Von hieraus kann man noch einen Abstecher auf die einsamen Höhen bei Jagdhaus in die tiefsten Wälder des Rothaargebirges machen. Oder nach Latrop, wo nun wirklich die Straße zu Ende ist, aber die allertiefste Stille eines unsagbaren Friedens liegt!

This tiny village in the Lenne valley charms the visitor with rows of beautiful half-timbered houses and flower-filled gardens. A walk from here leads up through the deepest woods of the Rothaargebirge mountains to the lonely hills near Jagdhaus. Another route takes the visitor high up to the wonderfully peaceful village of Latrop, where the road really does come to an end.

Ce petit village niché dans la vallée de la Lenne est un véritable plaisir des yeux: il offre le tableau champêtre de jolies maisons à colombages entourées de jardins fleuris. De là, on peut faire une excursion sur les hauteurs solitaires près du Jagdhaus (pavillon de chasse), caché dans les forêts sombres du Rothaargebirge. On peut aussi partir vers Latrop où s'achève la route et goûter le silence et la paix profonde de la nature.

Von den einstmals mehr als einem guten Dutzend Schiefergruben sind noch zwei im Sauerland geblieben: in Fredeburg-Heiminghausen und Huxol. Da kommen die tonnenschweren schwarz-grauen Schieferblöcke aus dem Bauch der Erde, werden zerschnitten und schließlich von Hand in Naturschieferplatten gespalten. Ein Schieferbergbau- und Heimatmuseum gleich nebenan in Holthausen zeigt handwerkliches und künstlerisches, dazu vieles zur Kultur im Sauerland.

Of the dozen or so slate quarries which once existed in the Sauerland, only two remain – in Fredeburg-Heiminghausen and Huxol. The blocks of black-grey slate, weighing several tons, are hewn from the earth, cut, and finally split into slate tiles by hand. In neighbouring Holthausen, a museum of slate mining and local history exhibits local arts and crafts, telling much about the way of life in the Sauerland.

Il ne reste plus que deux de la douzaine de carrières d'ardoise qu'avait autrefois le Sauerland: à Fredeburg-Heiminghausen et à Huxol. Les blocs d'ardoise gris ou noirs, lourds de plusieurs tonnes, sont extraits des entrailles de la terre et découpés avant d'être façonnés en plaques à la main. Dans la localité voisine de Holthausen, le musée du Folklore et de l'Ardoise montre l'art, l'artisanat et la culture du Sauerland.

Man findet es tatsächlich noch, das alte traditionsreiche Handwerk des Dorfschmieds, des Hufschmieds, ja es gibt Überlegungen, das Urhandwerk des Nagelschmieds wieder zu zeigen. Besonders in den kleinen und abgelegenen Dörfern ertönt aus den dunklen Werkstätten das muntere „Plink-Plank" vom Amboß, wenn der Hammer auf das rotglühende Eisen fällt und die Funken in alle Richtungen auseinander sprühen.

The traditional skills of the village blacksmith and farrier can still be found in the Sauerland – there are even thoughts of reviving the bygone craft of the nailsmith. Especially in the small outlying villages, you can hear, from the depths of dark workshops, the cheerful clink of the anvil as the hammer hits the glowing red iron, spraying sparks in every direction.

Les anciens métiers traditionnels de forgeron, maréchal-ferrant existent encore; il est même question de faire revivre le métier de cloutier. C'est surtout dans les petits villages isolés que les coups frappés sur l'enclume s'échappent de forges sombres quand le marteau fait jaillir des pluies d'étincelles du fer rougeoyant.

Mit einem Sprung erreichen wir im nächstgelegenen Naturpark „Homert" Eslohe, das sich mit Eifer und großem Geschmack in den letzten Jahren zu einem bezaubernden Kurort herausgeputzt hat. Im Schatten der Pfarrkirche liegt in einem Fachwerkensemble die „Domschänke" mit kleiner Landbrauerei, die köstliches naturtrübes Essel-Bräu einmal in der Woche und zweimal im Jahr ein kolossales Starkbier (Märzen- und Adventsbock) braut. Dazu Kapellchen, ein Maschinen- und Heimatmuseum, der Kurpark, Mühlen, ein Adelssitz.

Eslohe, situated in the Homert national park, has recently been developed into a captivating spa town. Close by the parish church, amongst a group of half-timbered buildings, the "Domschänke" inn has its own small country brewery, producing once a week the delicious, naturally cloudy "Essel-Bräu", and, twice yearly the fine strong "Märzenbock" and "Adventsbock" beers. In addition, the town boasts a small chapel, museums, gardens, corn mills and a stately residence.

Eslohe, située dans le parc naturel de «Homert», s'est transformée en une magnifique station climatique au cours des dernières années. Dans une des maisons à colombages entourant l'église paroissiale, se trouve la «Domschänke», une auberge avec une petite brasserie qui fabrique l'excellente bière Essel une fois par semaine et une bière très forte (le bock de Mars et de l'Avent) deux fois par an. A visiter également: la chapelle, le musée régional, le parc municipal, des moulins, le château.

Die Flüßchen Sorpe, Krähe und Hespe speisen den Sorpesee im Naturpark Homert. Bei Langscheid wurde von 1926-1935 die Talsperre errichtet. Als Absperrbauwerk wurde erstmals vom Ruhrtalsperrenverband ein Erddamm mit einer Kernmauer aus Beton gewählt. Verträumte Dörfchen wie Langscheid und Amecke säumen das Ufer; auf der östlichen Seite aber wird der unter Naturschutz stehende Streifen durch nichts gestört. Wanderer, Radfahrer und gar Rollschuhfahrer schätzen den Teerstreifen bis zum Vorstaubecken.

The Sorpe, Krähe and Hespe streams feed the Sorpe reservoir in the Homert national park. The dam was built near Langscheid between 1926 and 1935. For the first time, the method of construction chosen by the Ruhr valley dam company was that of an earth dam with a core wall of concrete. Sleepy villages such as Langscheid and Amecke line the shore. Nothing disturbs the peace of the eastern shore, however, which is protected as a nature reserve.

Les rivières Sorpe, Krähe et Hespe alimentent le lac de Sorpe dans le parc naturel de Homert. Le barrage près de Langscheid fut érigé entre 1926 et 1935. L'association des barrages de la vallée de la Ruhr choisit pour la première fois de construire un mur de retenue en terre autour d'un mur en béton. des villages paisibles comme Langscheid et Amecke se nichent sur les rives. Mais le territoire sur le côté gauche est un site protégé. Les pistes goudronnées vers le premier bassin sont très appréciées des randonneurs et des cyclistes.

Hier findet der Besucher ein Bauensemble früher Eisengewinnung und Eisenverarbeitung mit der Auswirkung auf das Leben im Sauerland. 1758 wurde die Luisenhütte erbaut, 1834-55 umgebaut, aber schon 1865 stillgelegt. Dennoch blieben Hochofengebäude, Gebläsehaus und Gießerei mit vielen Werkzeugen erhalten. In der ehemaligen Wohnung des Platzknechtes der Hütte ist eine Ausstellung „Geschichte des Hüttenwesens" zu sehen. Nur ein paar hundert Meter weiter liegt ein alter Bergwerksstollen.

Here the visitor can find a collection of buildings which illustrate the early extraction and working of iron and its effect on the life of the Sauerland. The Luisenhütte works was built in 1758, but despite alterations between 1834 and 1855 it ceased to operate in 1865. Nevertheless, the furnace building, bellows house and foundry, together with many tools, have been preserved, and an exhibition informs about the history of iron smelting. A few hundred yards away is an old mine entrance.

Ici, les visiteurs apprennent comment on extrayait et transformait le fer autrefois et la place qu'occupait cette industrie dans le Sauerland. Le mine de Luisen, construite en 1758, fut réaménagée entre 1834 et 1855, mais fermée dès 1865. Il en reste les hauts-fourneaux, la soufflerie et la fonderie où sont exposés de nombreux outils. L'ancien logement du surveillant de la mine abrite une exposition sur l'histoire de l'extraction du fer. Une vieille galerie se trouve à quelques centaines de mètres.

Balve, obgleich seit 1975 zum Märkischen Kreis zugehörig, ist eine uralte kurkölnische Stadt: 780 wird das Gut „Ballowa" genannt. Später gehörte die Stadt zur Grafschaft Arnsberg, dann zum Erzbistum Köln, zu Hessen und Preußen; schließlich wurde der Ort von den Märkern geschluckt, deren Grenze hier verlief. Auf dem Vorsprung einer steilen Felspartie liegt ein kühner Horst hoch über der rauschenen Hönne: die Grenzfeste Klusenstein, 1353 von Graf Engelbert III. zum Schutz gegen die Arnsberger Grafen gebaut.

Balve's long history stretches back to the days when it belonged to the principality of Cologne. In the year 780 the estate was known as "Ballowa". Later it passed to the Counts of Arnsberg, the Archbishopric of Cologne, then to Hesse, and later still to Prussia. On the ledge of a steep rock face a daring eyrie perches high above the rushing waters of the river Hönne: the border fortress of Klusenstein, built in 1353 by Count Engelbert III as a protection against the Counts of Arnsberg.

Bien qu'elle appartienne au district de la Marche depuis 1975, Balve est une ancienne ville des Electeurs de Cologne. Le domaine «Ballowa» fut mentionné dès 780. La ville appartint plus tard au comté d'Arnsberg, puis à l'évêché de Cologne, à la Hesse et à la Prusse avant d'être insérée aux Marches sur la frontière desquelles elle était située. La forteresse de Klusenstein, érigée en 1353 par le comte Engelbert III pour se protéger des comtes d'Arnsberg, se dresse sur une saillie de paroi rocheuse abrupte au-dessus de la Hönne.

Levin Schücking und Ferdinand Freiligrath haben das Hönnetal auf ihrer Reise das romantischste Tal genannt. Es ist sicher auch eines der urtümlichsten, ja abenteuerlichsten: Karstlandschaft, ausgewaschene Gesteinspartien, Höhlen. Nur ein paar Kilometer weiter noch eine alte kurkölnische Residenz: Menden. Auf eine 700-jährige Geschichte kann diese Stadt im Sauerland zurückblicken. Im Altstadtbereich finden sich im Schatten der St. Vincenz-Kirche in verträumten Gäßchen Reste der Stadtbefestigung: der Teufelsturm.

Early travellers sang the praises of the romantic Hönne valley. Its rocky karst landscape is certainly also one of the most unusual, not to say adventurous. Only a few kilometres away lies the 700-year-old town of Menden - another former residence from the time of the Cologne principality. In the old town, one comes across the remains of the Teufelsturm (Devil's Tower) – a relic of the town's defences now hidden among the sleepy alleyways around St. Vincent's church.

Dans leurs récits de voyage, Levin Schücking et Ferdinand Freiligrath donnèrent le nom de «vallée romantique» au Hönnental. En effet, ses paysages de karst, de rochers majestueux et de grottes y créent une atmosphère sauvage. A quelques kilomètres, on trouve une autre résidence des Electeurs de Cologne: Menden qui a une histoire de 700 ans à raconter. Dans la Vieille-Ville, des venelles paisibles entourent l'église Saint-Vincent; la Tour du Diable (Teufelsturm) est un vestige des fortifications de la cité.

Zu vielen Deutungen haben die wild übereinander-geworfenen Felsenmassen geführt: Zwergen-könig Alberich soll unermeßliche Schätze ange-häuft haben; hier soll die Nibelungen-Schmiede gewesen sein. 1868 wurde unmittelbar vor dem Felsmassiv der Höhle die Eisenbahnstrecke Iser-lohn - Letmathe gebaut. Zwei Arbeiter beseitigten überhängende Felsmassen und legten zufällig den Zugang zu einer mit Tropfsteingebilden ge-schmückten Höhle frei. Der Geologe Heinrich von Dechen betrieb die Forschungen in der Höhle.

These wildly jumbled rocks have prompted many explanations as to their origin: Alberich, the King of the Dwarves was said to have heaped up immense treasures here; the smithy of the Nibelungen was purported to be here. In 1868 the railway line from Iserlohn to Letmathe was built close by the rock face and during excavations, two workers uncov-ered by chance the entrance to a cave adorned with stalactite formations. The geologist Heinrich von Dechen conducted a survey of the cave.

De nombreuses légendes sont attachées à ces ro-chers singuliers: Alberich, roi des nains, y aurait amassé des trésors inestimables; c'est là que se se-rait trouvée la forge des Nibelungen. En 1868, au cours de la construction de la voie ferrée Iserlohn-Lemathe, deux ouvriers découvrirent par hasard l'entrée d'une grotte de stalactites et stalagmites pendant des travaux de déblaiement. La grotte porte le nom du géologue Heinrich von Dechen qui y fit des recherches.

Burg Altena auf der „Wulfsegge"

Zum Schutz der Kleineisenmanufaktur im Lennetal von Altena baute der Graf von der Mark seine Burg auf dem Bergsporn der Wulfsegge. Seinem Nachbarn und Erzrivalen, dem Graf von Arnsberg, war der Wehrbau „All te nahe" = allzu nahe. Daraus entstand der Name Altena. Schon 100 Jahre später verlegten die Grafen ihren Stammsitz in die Nähe von Hamm; die Burg verfiel über die Jahrhunderte. Zwischen 1906 und 1915 wurde sie nach Originalplänen wieder aufgebaut. Heute beherbergt die Burg eine Vielzahl kultureller und technischer Sammlungen.

Altena Castle on the "Wulfsegge"

High on the Wulfsegge mountain, the Count of the Marches built a castle, with a mighty keep and ramparts, to protect the iron working industry in the Lenne valley. But his neighbour and archrival, the Count of Arnsberg, found this fortress was „all te nahe" – „all too near" for his liking. Hence the name, Altena Castle. The Counts of the Marches later moved their residence to Hamm and the castle gradually declined. It was rebuilt according to original plans between 1906 and 1915.

Altena, Château d'Altena

Le comte de la Marche bâtit son château sur un éperon rocheux de la Wulfsegge pour protéger l'industrie de petits produits en fer de la vallée de la Lenne. Son voisin et rival, le comte d'Arnsberg trouvait le château «All te nahe» qui signifie bien trop près en vieil allemand, d'où le nom d'Altena. 100 ans plus tard, la lignée de la Marche s'installa près de Hamm. Le château tombé en ruines fut restauré entre 1906 et 1915 selon les plans d'origine. Sa cour est entourée de différents édifices, d'un chemin de ronde et flanquée d'un donjon massif.

Als Insel im Grünen bezeichnet sich die Stadt Werdohl, die von herrlichen Laub- und Nadelwäldern eingerahmt ist und von der Lenne und Verse durchflossen wird. Inmitten der sanften Hügellandschaft des Affelner Landes liegt die Pfarrkirche St. Lambertus, eine typische sauerländische Hallenkirche von drei Jochen in einem derben Übergangsstil. In der bemerkenswerten halbrunden Apsis steht ein prächtiger Schnitzaltar, wohl eine Antwerpener Arbeit von 1520 mit gemalten Altarflügeln.

Werdohl   Neuenrade-Affeln

The town of Werdohl is surrounded by wonderful deciduous and pine woods and washed by the Lenne and Verse rivers. In the middle of this gently undulating landscape stands the parish church of St. Lambertus – a typical Sauerland hall church with three bays, built in a robust transitional style. In the remarkable semicircular apse there is a splendid carved altar with painted panels, probably produced in Antwerp in 1520.

Werdohl   Neuenrade-Affeln

Entourée de magnifiques forêts de pins et de feuillus, et traversée par la Lenne et la Verse, Werdohl se décrit comme un îlot dans la verdure. L'église paroissiale St Lambert se dresse au cœur du paysage de collines douces de la contrée d'Affeln. L'église construite dans le style typique du Sauerland possède une remarquable abside en demi-cercle avec un magnifique autel sculpté surmonté de volets peints; l'oeuvre datant de 1520 provient sans doute de l'école d'Anvers.

Hier verläuft die unsichtbare Grenzlinie zwischen dem Bergischen Land und dem Sauerland. Die Höhen des Ebbegebirges werden von Bächen und Flüssen durchzogen. Der hohe Niederschlag ruft bei Temperaturunterschieden starke Verdunstungen, Nebelschleier hervor. „Die Füchse schmeuken" sagen die Sauerländer. Meinerzhagen, bekannt durch seine Sommer-Sprungschanzen, hat eine sehenswerte romanische Hallenkirche. In der Umgebung liegt noch das Schlößchen Badinghagen und die barocke Gutsanlage Listringhausen.

The invisible border between the Bergisches Land and the Sauerland runs through this landscape. The Ebbe hills are crisscrossed by brooks and streams. Because of the high precipitation, temperature changes often give rise to mist and fog banks. "The foxes are smoking" the Sauerlanders say. Meinerzhagen, well known for its summer ski-jumps, has a noteworthy Romanesque hall church. Nearby is the charming little castle of Badinghagen and the Baroque estate of Listringhausen.

C'est ici que s'étire la frontière invisible entre le Bergische Land et le Sauerland. Ruisseaux et rivières quadrillent les hauteurs de l'Ebbegebirge. Quand les températures changent, les nombreuses précipitations provoquent une grande humidité et des nappes de brouillard. Meinerzhagen, connue pour son tremplin d'été, abrite une remarquable église romane. Le joli petit château de Badinghagen et le manoir baroque de Listringhausen se trouvent dans les environs.

Mit einem Schwenk nach Osten erreicht man nun den westlichen Seitenarm des Biggesees, die Listertalsperre. Sie dient dem Biggesee, der drittgrößten Talsperre Deutschlands, als Vorstaubecken und hat allein einen Stauinhalt von 22 Millionen cm³. Die Listertalsperre mit der eigenen Staumauer wurde schon 1912 fertiggestellt und ist die Nahtstelle zwischen der 12 Meter höher gelegenen alten Lister- und der jüngeren tieferen Bigge-Talsperre. Sie ist ein Trinkwasserschutzbereich.

The Lister dam was built in 1912 and is the link between the old Lister dam, 12 metres higher, and the more recent Bigge dam lower down. The capacity of the Bigge reservoir is some 22 million cubic metres, making it the third largest reservoir in Germany. The hills around are a protected drinking water catchment area.

En partant vers l'Est, on atteint le bras occidental du lac de Bigge: le barrage de la Lister qui retient 22 millions de mètres cubes d'eau et est le réservoir antérieur du barrage de la Bigge, le troisième d'Allemagne. Le barrage de la Lister fut édifié dès 1912; Son mur de retenue, qui se dresse 12 mètres plus haut, rejoint le barrage plus récent de la Bigge situé en contrebas. Les deux barrages constituent une immense réserve protégée pour l'eau potable.

Aus mehreren Orten ist die Stadt im Talkessel der Else, Oester und Gröne bis hin zu den beiden Lenneufern gewachsen. Hier produzieren auch zahlreiche Betriebe der eisenverarbeitenden Industrie. Im Stadtkern liegt altes und modernes dicht beieinander. Besonders sehenswert ist die Pfarrkirche, ein Hallenbau mit Westturm, dessen Chorgewölbe vor 1450 ausgemalt wurde, und zwei Flankentürmen. Auf steiler Bergkuppe erinnert die Burgruine Schwarzenberg, 1301 erbaut, an den Graf Eberhard II.

This town lies on the banks of the Lenne, at the junction of the Else, Oester and Gröne valleys. In the town centre old buildings squeeze between the more modern ones put up after the devastating fire of 1725. The parish church is especially worth a visit – a hall church with two side towers, a west-facing tower and a painted choir ceiling dating back to before 1450. Atop a steep hill the ruin of Schwarzenberg Castle (1301) is an epitaph to Count Eberhard II.

Plettenberg, dans la vallée encaissée des rivières Else, Oester et Gröne, s'est développée à partir de plusieurs communes jusque sur les rives de la Lenne. L'industrie sidérurgique y est prospère. Aujourd'hui, l'ancien et le moderne se rejoignent au coeur de la ville qu'un incendie ravagea en 1725. Admirable est l'église paroissiale flanquée de trois tours et dont les peintures des voûtes du choeur datent d'avant 1450. Sur une hauteur rocheuse, le fort en ruines de Schwarzenberg, du comte Eberhard II, a été érigé en 1301.

Am Ende des Salwey-Tales bettet sich am Bergabhang das schöne, geschlossene Dorf Schliprüthen. Rund um die Pfarrkirche St. Georg schauen Fachwerkgiebel mit bunten Bemalungen den Besucher freundlich an. Die Pfarrkirche selbst ist eine kleine spätromanische Hallenkirche mit zwei quadratischen Jochen, Rundpfeilern und kuppelartigen Gewölben im Mittelschiff. Die Ausstattung stammt aus dem 17. und 18. Jh, der Orgelprospekt von 1681. Die Straße führt weiter ins Frettertal.

The lovely village of Schliprüthen nestles at the head of the Salwey valley. Around the parish church of St. George the gables of the half-timbered houses are brightly painted. The church itself is a small, late Romanesque hall church with two square bays, round columns, and a vaulted ceiling in the central nave. The fittings date from the 17th and 18th centuries, the organ screen from 1681. The road leads on into the Fretter valley.

Le village pittoresque de Schliprüthen s'accroche à un versant au fond de la vallée de la Salwey. Groupés autour de l'église paroissiale St George, les pignons colorés des maisons à colombages offrent une image accueillante aux visiteurs. L'église est un petit édifice de style roman tardif avec quatre plans carrés, des piliers ronds et une nef centrale voûtée. L'intérieur date des 17e et 18e siècles; l'orgue est de 1681.

Ein freundlicher Spruch über dem Eingang dieser größten Höhenburg Westfalens lädt geradezu zum Eintreten ein. Nicht verwunderlich, wenn in der 1225 erstmals erwähnten Burg heute ein romantisches Burg-Hotel gern eine Kemenate für die Übernachtung und ein genußvolles Rittermahl offeriert! Die jüngste der südsauerländischen Städte ist Drolshagen: 1477 Verleihung der Stadtrechte. Die Pfarrkirche St. Clemens blieb trotz einer modernen Erweiterung in Architektur und Ausstattung ein beeindruckendes Gotteshaus.

A friendly inscription above the entrance to this, the largest mountain castle in Westphalia invites the visitor to enter. Not surprising in view of the fact that the castle – first mentioned in 1225 – is now a romantic hotel and restaurant. Drolshagen is the youngest of the towns in the southern Sauerland – it obtained its charter in 1477. The parish church of St. Clement's, despite modern extensions and decoration, is still an impressive place of worship.

La devise au-dessus de l'entrée du plus haut château de Westphalie invite les visiteurs à y pénétrer. La demeure seigneuriale, mentionnée pour la première fois en 1225, est aujourd'hui un hôtel romantique où l'on peut se replonger dans l'atmosphère du passé et savourer de véritables repas de chevaliers. Drolshagen est la plus jeune ville du Sauerland: elle a reçu son droit de cité en 1477. Bien qu'elle ait été agrandie et réaménagée dans le style moderne, l'église paroissiale St Clemens reste une maison de dieu impressionnante.

Im Tal der Veischede trifft man auf die hübschen Orte Bilstein und Kirchveischede mit den schönsten Deelentüren des Sauerlandes. Eine Sinfonie aus schwarzweiß und grünweiß! Zum Schutz der Straße Köln-Lippstadt ist die Burg auf dem Bergsporn zwischen 1202 und 1225 durch Dietrich Gevore erbaut worden. Namhaftester Bewohner wurde der Landdrost Kaspar von Fürstenberg. Seit 1927 als Jugendherberge genutzt und 1977 bis 1979 großzügig durch das Land NRW restauriert.

In the valley of the Veischede river lie the pretty villages of Bilstein and Kirchveischede with the most beautiful traditional timber doors in the Sauerland – a symphony in black-and-white and green-and-white! The castle on Bergsporn hill was built by Dietrich Gevore between 1202 and 1225 to protect the road from Cologne to Lippstadt. Since 1927 the building has been used as a youth hostel, and it was generously restored between 1977 and 1979 by the state of North Rhine-Westphalia.

La vallée de la Veischede abrite la charmante localité de Bilstein avec son château ainsi que Kirchveischede qui possède les plus belles portes du Sauerland. Une symphonie de noir et blanc, vert et blanc! Le château sur un éperon rocheux protégeait la route de Cologne-Lippstadt. Il fut construit entre 1202 et 1225 par Dietrich Gevore. Son plus célèbre habitant fut Kaspar von Fürstenberg, administrateur de la région. Auberge de jeunesse depuis 1927, il a été admirablement rénové par le Land RNW entre 1977 et 1979.

Zu den 35 Aussichtstürmen des Sauer- und Sieger- landes gehört auch die Hohe Bracht, zwischen Al- tenhundem und Bilstein gelegen. 1930 wurde der Turm eingeweiht, und zwar mit der ersten Rund- funkdirektübertragung aus dem Sauerland. Ein traumhaft schöner Ort, der 1975 mit anderen zu der synthetischen „Lennestadt" zusammenge- schlossen wurde, ist Saalhausen. Nach einer Wan- derung vom „Steinernen Kreuz" kann man hier an der Brücke im Cafe Heimes hinter gemütlichem Fachwerkgebälk leckeren Kuchen kosten.

One of the 35 observation towers of the Sauerland and Siegerland is the "Hohe Bracht", which is situ- ated between Altenhundem and Bilstein. The tow- er was opened in 1930 with the first direct radio broadcast from the Sauerland. Saalhausen, now part of Lennestadt, is a place of fairy-tale beauty. After a walk from the "Steinernes Kreuz" one can enjoy delicious cakes here at the bridge, sitting be- hind the cosy half-timbered facade of the Cafe Heimes.

La Hohe Bracht qui se dresse entre Altenhunden et Bilstein est une des 35 tours panoramiques du Sauerland et de la contrée du Siegerland. La tour fut inaugurée en 1930 en même temps que la pre- mière transmission radiophonique en direct de- puis le Sauerland. Saalhausen, un petit village ma- gnifique, fut réuni à d'autres localités pour former la nouvelle ville de Lennestadt. Après une ran- donnée à la Croix de Pierre (Steinernen Kreuz), on ira déguster de délicieux gâteaux derrière la faça- de à pans de bois du «Cafe Heimes».

Noch ein „Kirchort" – Kirchhundem, wieder ein Furioso in Fachwerk, vor allem die Nebengassen an der Lenne. Beispiel für eine gelungene Restauration ist das Pfarrhaus. Die roten Porphyrmauern der Adolfsburg leuchten inmitten saftiggrüner Wiesen im Tal des „Hundembaches". Erbaut ist diese Wasserburg 1676 von Ambroius von Oelde. Mit dem roten Stein der nahen Steinbrüche und dem Holz der Eichenwälder entstand eine große kastellartige Anlage, heute mit anheimelnden Ferienwohnungen ausgestattet.

Yet another village named after its church, Kirchhundem is a feast of half-timbered architecture, especially the side streets down by the river Lenne. The parsonage is a model of successful restoration. The red porphyritic stone of Adolfsburg Castle glows amid lush green meadows. This moated fortress was built in 1676 by Ambroius von Oelde with red stone from the local quarries and timber from the oak woods. More recently it has been converted into comfortable holiday flats.

Kirchhundem se présente également comme un petit joyau d'architecture à pans de bois, notamment dans les ruelles donnant sur la Lenne. Le presbytère est un bel exemple de restauration réussie. Les murs de porphyre rouge du château d'Adolfsburg étincellent au milieu de pelouses d'un vert vif. Ambroius von Oelde a construit cet ensemble magnifique en 1676, avec la roche rouge d'une carrière voisine et le bois des forêts de chênes environnantes. Le château abrite aujourd'hui des logements de vacances.

Biggetalsperre   Olpe

Mit den Superlativen, die größte Talsperre in Westfalen und die drittgrößte in Deutschland zu sein, schmückt sich die Biggetalsperre, die zwischen 1957-1965 für 172 Mill. cm³ Stauinhalt gebaut wurde. Sie liegt zwischen Attendorn und Olpe im Tal der Bigge. – Während in früheren Zeiten in Attendorn das Handwerk der Waffenschmieden vorherrschte, hatte sich in Olpe das Kesselschmieden verbreitet. Die Olper haben aus dieser Zeit bis heute den Spitznamen Pannenklöpper = Pfannenschmied.

Bigge Dam   Olpe

The Bigge dam can claim to be the largest dam in Westphalia and the third largest in Germany. Built between 1957 and 1965 it can contain 172 million cubic metres of water. The dam and reservoir are in the Bigge valley between the villages of Attendorn, once known for its armourers and Olpe, where kettlesmiths and pansmiths once exercised their craft. To this day the nickname for the people of Olpe refers to this former occupation: they are known as the „Pannenklöpper".

Barrage de la Bigge   Olpe

Le barrage de la Bigge, situé dans la vallée de la Bigge entre Attendorn et Olpe, est le plus grand de Westphalie et le troisième d'Allemagne. Il a été construit de 1957 à 1965 et retient 172 millions de mètres cubes d'eau. – Autrefois, alors qu'Attendorn était réputée pour sa fabrication d'armes, Olpe constituait un centre de la ferblanterie. Jusqu'aujourd'hui, les habitants d'Olpe ont gardé le surnom de «faiseurs de poêles».

Die Kreisstadt Lüdenscheid ist das Tor zum Naturpark Ebbegebirge mit einem hohen Wohn- und Freizeitwert, die viele Gesichter zeigt: Tradition: 1268 gibt es erste Hinweise auf die Gründung und Befestigung der Stadt. Gegenwart: Einkaufen in Lüdenscheid in einer zentralen Fußgängerzone macht Spaß und besonders die anschließende Einkehr in eines der gemütlichen Altstadtlokale. Zukunft: "Made in Lüdenscheid", viele Produkte werden in alle Welt exportiert und sichern 80 000 Menschen die Arbeitsplätze.

Lüdenscheid is the gateway to the beautiful and popular Ebbegebirge mountain park. Records show fortifications and a settlement on this site in 1268. Today the town of Lüdenscheid, with its busy shopping streets and quaint old guesthouses is a pleasant place to stroll. The words "Made in Lüdenscheid" are imprinted on a growing number of products, securing for its inhabitants around 80 000 jobs.

Le chef-lieu Lüdenscheid est la porte du parc naturel d'Ebbegebirge; c'est une ville où il fait bon vivre et qui présente plusieurs facettes. Son passé: la fondation et la fortification de la localité remontent à 1268. Son présent: une zone piétonnière marchande très agréable et de nombreux cafés accueillants dans le quartier de la Vieille-Ville (Altstadt). L'avenir: les produits «made in Lüdenscheid» sont exportés dans le monde entier; leur fabrication garantit 80 000 emplois.

Als „Tor zum Sauerland" bezeichnet sich gern die Großstadt ganz im Westen des Sauerlandes, die am Auslauf des Ruhrgebietes ebenso plaziert ist wie am Endpunkt der Wupper-Ennepe-Mulde, die nun einmal geographisch das Sauerland vom Bergischen Land trennt. In den Hengsteysee mündet ein anderer Sauerland-Fluß, die Lenne. Und oberhalb des Sees ist der Ausläufer des Haarstranges, Grenze zur Soester Börde, mit der Fortsetzung im Ardey-Höhenzug. Damit sind die Grenzzusammenhänge am Ende der Sauerlandreise geklärt.

This large town in the far west of the Sauerland boasts of being the "Gateway to the Sauerland". Situated on the edge of the Ruhr basin and the Wupper and Ennepe valleys it marks the border with the Bergisches Land in the west. Another Sauerland river, the Lenne, flows into the Hengstey Lake, above which is the end of a line of hills forming the border to Soest.

La grande ville à l'extrême Ouest du Sauerland s'appelle volontiers la «porte du Sauerland». Elle est située au bout du Bassin de la Ruhr et à la pointe de la cuvette de la Wupper-Ennepe qui sépare géographiquement le Sauerland du Bergische Land. La Lenne, une autre rivière du Sauerland, se jette dans le lac de Hengstey. Au-dessus du lac, s'élèvent les contreforts du Haarstrange, frontière de la Soester Börde qui rejoint les collines d'Ardey. Les délimitations de la région sont ainsi éclaircies à la fin de ce voyage à travers le Sauerland.

Hagen, ein wirtschaftliches und kulturelles Zentrum liegt landschaftlich reizvoll bis in die Täler von Ruhr, Lenne, Ennepe und Volme, deren Wasserkraft die Eisenindurstrie seit dem 17. Jh. nutzte. In einem der schönsten Wiesentäler, im Mäckingerbachtal, sind mehr als 70 historische Werkstätten und Fabrikbetriebe wiedererrichtet worden. Auf einem, sich über 2,5 km weit spannenden Bogen klappern Wasserräder, dröhnen Eisenhämmer, surren Sägemaschinen oder duften frische Roggenbrote aus dem guten alten Steinofen.

Hagen is an economic and cultural centre stretching up into the charming scenery of the Ruhr, Lenne, Ennepe and Volme valleys. Water power from these rivers has been used in the iron industry since the 17th century. In the Mäckingerbach valley over 70 historical workshops and factories have been reconstructed. Walking in a 2.5 km arc, the visitor can see clattering water wheels, hear the echo of iron hammers, the whirring of sawmills and smell freshly baked rye bread, straight from the old stone ovens.

Au cœur d'une nature riante, Hagen, centre économique et culturel, s'étend jusque dans les vallées de la Ruhr, de la Lenne, de l'Ennepe et de la Volme. Plus de 70 fabriques et ateliers anciens ont été reconstitués dans le Mäckingerbachtal, l'une des plus jolies vallées de cette partie du Sauerland. Sur un parcours de 2,5 kilomètres, on peut entendre les craquements de roues à eau, les grincements des scies à métaux et humer la bonne odeur des pains cuits dans des fours en pierre.

Auf der schon genannten Grenze zwischen Berg-ischem Land, Ruhrgebiet und Sauerland liegt auch die Ennepetalsperre, gespeist von der Ennepe, die dann wieder aus der Talsperre austritt, durch das „Enneper Straße" genannte Industrietal fließt und in Hagen in der Volme mündet.Im Oberlauf der Ennepe liegt die nach dem Fluß benannte Tal-sperre, die 1902-1904 erbaut wurde und 12,6 Mil-lionen m³ faßt. Im Unterlauf durchquert der Fluß die Stadt Ennepetal mit der 5,7 km langen Klutert-höhle, anerkannt als Asthma-Naturheilstätte.

The Ennepe dam, built between 1902 and 1904 lies on the aforementioned border to the Bergisches Land and the Ruhr region. The reservoir, with a ca-pacity of 12.6 million cubic metres, is fed by the Ennepe river, which then leaves the lake again to flow through the industrial valley known as the "Enneper Strasse" and join the Volme river at Hagen. Its lower reaches pass through the town of Ennepetal with its 5.7 kilometre long Kluterthöhle caves.

Le Barrage de l'Ennepe se dresse entre le Bergische Land, le Bassin de la Ruhr et le Sauerland. Il est ali-menté par l'Ennepe qui poursuit son cours à tra-vers la vallée industrielle appelée «Route d'Ennepe» avant de se jeter dans la Volme à Hagen. Le barra-ge sur le cours supérieur de la rivière fut construit entre 1902 et 1904 et retient 12,6 millions de cubes d'eau. La ville d'Ennepetal, sur le cours inférieur de la rivière, est connue pour la grotte dite Kluterthöhle, longue de 5,7 km, où l'on pratique des cures souterraines pour asthmatiques.

ISBN 3-921268-88-5

© Copyright by:
ZIETHEN-PANORAMA VERLAG
53902 Bad Münstereifel, Flurweg 15
Telefon: 0 22 53 / 60 47

4. Auflage 1999

Redaktion: Horst Ziethen
Text: Ferdy Fischer

Englische Übersetzung: Ingrid Taylor
Französische Übersetzung: France Varry

Gesamtherstellung:
ZIETHEN-Farbdruckmedien GmbH
50999 KÖLN, Unter Buschweg 17

Printed in Germany

FOTO- UND KARTENNACHWEIS:

Exklusiv-Fotografie: Holger Klaes

Zusatzaufnahmen von:
Wilfried Kräling / Seiten: 29, 31, 32, 33
Ferdy Fischer / Seiten: 10, 38, 39
Bernhard Lisson; Deutsche Luftbild / Seite: 66

Vorsatz: Aktuelle Karte vom Landesvermessungsamt NRW, Bonn
Nachsatz: Historische Karte von Mappa Mundi, Friedrich Emmelmann

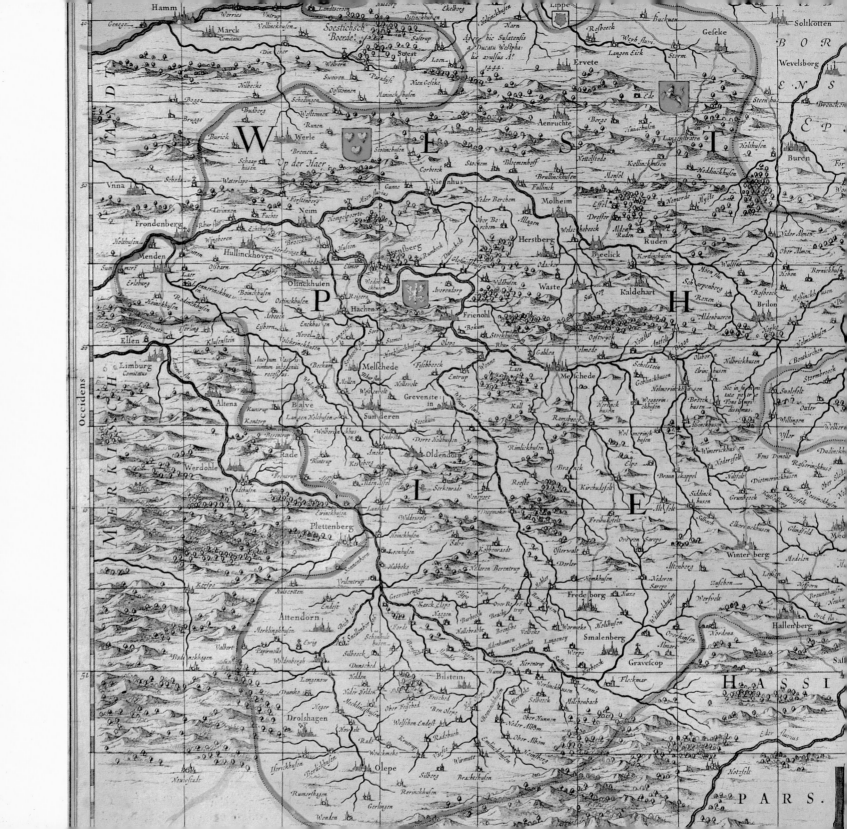